RAPPELLE-MOI

MICHEL DRUCKER
Avec la collaboration de
Jean-François Kervéan

RAPPELLE-MOI

ROBERT LAFFONT

« Si j'avais su que je l'aimais autant,
je l'aurais aimé encore davantage. »

Frédéric Dard

18 avril

Nous sommes le 18 avril. Six ans jour pour jour. Je rentre du cimetière par un temps de Toussaint. Déjà six ans. Six années que tu nous as quittés. Une pluie fine m'a accompagné sur ta tombe.

Chaque 18 avril depuis 2003, la première chose que je fais en me levant est d'envoyer un texto à Marie. Toujours le même. Auquel elle répond chaque année par les mêmes mots. Je n'ai pas besoin de noter les dates. J'ai une mémoire instinctive. Depuis quinze jours je ne me sens pas bien. Comme les bêtes qui sentent et devinent. À l'approche du printemps ma tête commence le décompte. Jusqu'au 18 avril. Aujourd'hui.

Depuis mon bureau à la maison, je regarde les toits de Paris, le ciel, le dôme des Invalides, les antennes de Cognacq-Jay où tu venais quand tu faisais l'ENA. Rien n'a bougé, vu d'en haut. J'ai une bonne nouvelle pour toi. Dans un mois, avec ta fille Marie, pour la première fois, nous allons présenter une émission ensemble. Elle et moi.

Je me cogne à toi tous les jours. Quand je vois Marie à la télévision, au 20 heures ou ailleurs, je te vois. Si je ne peux pas t'oublier, aujourd'hui je sais un peu mieux accepter ce chagrin. La mort d'un frère est plus douloureuse à surmonter que celle de ses parents. Tu es parti au moment où ton avenir et le mien allaient se rejoindre. À nous deux, nous aurions tenté d'infléchir le paysage audiovisuel comme nous l'aimions depuis quarante ans.

Pas une journée ne passe sans qu'on me parle de toi. Quand je croise « Sarko », Labro, Carolis, Bedos... Des gens célèbres ou inconnus, des techniciens, des téléspectateurs, des lecteurs, tous me disent : « Et Jean... Ah, Jean, votre frère... »

Tu n'es plus là et pourtant plus que jamais tu demeures l'aîné. Un grand frère qui pèse sur moi comme a pesé notre père. Étrangement, en partant – même si j'ai cru le contraire –, tu ne m'as pas passé le relais. Si je suis devenu civilement le chef du clan, en réalité je reste ton cadet.

Je continue le métier en pensant à toi. Marie aussi. Dès qu'une bonne note tombe dans mon escarcelle, une raison d'être heureux, fier, une audience, un papier favorables, une part de reconnaissance, ce sont les bons points que j'ai attendus toute mon enfance. J'aimerais pouvoir les montrer à quelqu'un. Tous ces motifs de satisfaction, toutes ces « bonnes notes » sont pour toi.

Cela me poursuit, je sais. Je l'ai assez dit dans les pages de *Mais qu'est-ce qu'on va faire de toi ?* Cela peut sembler enfantin. Mais l'adolescent de plus de soixante-sept ans que je suis n'est pas revenu de son enfance, elle me poursuivra toujours. Comme beaucoup de gens. Même si je me sens plus sûr de moi. Cette « réussite » que je n'ai plus à donner à papa, parti depuis longtemps, maintenant je te la donne à toi. Les deux hommes clés de ma famille ne sont plus ; le patriarche et l'aîné. Avant, je songeais sans cesse à notre père, désormais je pense à toi, je pense : « Jean. Jean n'aurait pas aimé cela, Jean l'aurait aimé ; il aurait dit oui… non ; il n'en penserait pas moins… »

Tu as pris le relais d'Abraham. Mon frère a pris le relais du père.

Tous les deux nous n'avons jamais parlé de nous. Nous ne nous sommes jamais rien avoué, au fond. La pudeur procède par non-dits, nous étions ainsi. Depuis ta disparition, je mesure un peu plus chaque jour ton importance dans mon existence. Nous nous sommes aimés vivants mais nous ne nous sommes pas parlé. Pas beaucoup. Pas assez.

C'est trop tard. Nous n'avons pas su nous guérir du silence de certaines familles ni de toute cette pudeur. Aujourd'hui, je ne suis plus sûr que ce soit une qualité. Plutôt une infirmité. Une facilité. Un anesthésiant des sentiments. Et je m'en veux. Qu'est-ce qu'un amour non avoué? Une absence de déclaration, une non-reconnaissance. Quand l'être cher disparaît, on se demande : « Pourquoi? Pourquoi n'avoir jamais osé? Je n'ai pas vu? Pas voulu? » Ce deuxième livre, je vais le passer à répéter ce que je ne t'ai pas dit. Tant de choses me ramènent à toi. À force d'entendre tant de personnes me confier : « J'avais un frère... Une sœur. Nous étions presque jumeaux... » Comme nous, nous qui, ce printemps-là, allions enfin nous parler, vivre notre aventure. Après une vie de travail, nous allions devenir les deux médecins de la télévision. Un cabinet, une plaque de cuivre, deux bureaux, une secrétaire et *nous*. Drucker & Drucker, Jean et Michel, je l'ai déjà dit si souvent. Comment l'oublier? Cette image me fait mal. Pourquoi la vie n'a t-elle pas voulu? Nous avions droit à cet avenir. Le week-end de ta mort, j'allais t'en parler. Je cherchais les mots pour te convaincre et ma conviction t'aurait emporté, j'en suis certain. Ce printemps-là, c'était notre heure. Sans te l'avouer, je t'aurais aidé à retrouver le bonheur et la santé puisque tu es mort d'une inaptitude au bonheur.

Nous allions être heureux.

Tu n'as jamais tiré aucun plaisir du pouvoir. Il ne génère pas de plaisirs vrais. Ceux qui le croient se trompent. Mon Jean. Tu m'as appris cela, que je n'aurais jamais compris sans ton exemple. C'est un des secrets de ma longue carrière de savoir d'un frère que le pouvoir n'est qu'un moment et le faste un leurre. Passé l'euphorie des premiers jours, l'enfer commence. Toi, l'homme de décision, si souvent je t'ai entendu dire : « Le pouvoir dans nos métiers sert surtout à fabriquer des films, des émissions pour permettre à des scénaristes, des créateurs de s'exprimer... »

À deux, nous aurions pu peut-être laisser une trace. Quand je regarde un film, une émission, je pense : « Jean aurait aimé le produire. » Et je suis content pour toi. Ou je me dis, cette jeune journaliste, là, dans un coin, Jean l'aurait lancée à l'antenne. Je t'aurais passé un coup de fil, urgent : « Jean, regarde-la, elle a un avenir ! Rappelle-moi. » Aux jeunes de talent manquent souvent un réseau, une porte qui s'entrouvre. Nous aurions été cette porte, D & D, toujours ouverte. J'en rêve encore. Avec nous, les saltimbanques auraient trouvé un vrai soutien. Nous les aurions reçus, vite, comme les patrons d'Amérique. Griffonnant leurs numéros de téléphone, nous échangeant des petits mots comme des balles de tennis. À chercher, à trouver, nous n'aurions pas vu le temps passer. L'enthousiasme nous aurait gardés jeunes, tous les deux, roue dans roue.

Les années passent, l'amputation demeure. Je cherche ce double qui n'est plus, sans le trouver. Ce double n'était que toi.

C'est comme ça.

Ta mort m'a changé. Je suis encore plus hypocondriaque qu'avant! Je me suis mis à faire des bronchites asthmatiformes comme je n'en ai jamais eu. Et puis ta mort – tu aurais aujourd'hui près de soixante-dix ans – me fait penser à la mienne. J'ai toujours presque ton âge. Le temps s'écourte et la carrière bascule tout entière derrière moi. D'ici à deux ans, j'atteindrai à mon tour soixante-dix. Et alors quoi? Toi et moi aurions dû quitter le service public. Mais dans notre cabinet de conseil nous nous serions évités la retraite administrative. Je suis conscient que je ne devrais plus être à l'antenne. Si j'y suis encore, c'est en saltimbanque dont l'avenir dépend de l'affection et de la fidélité des téléspectateurs. Les courbes d'audience impressionnent toujours autant les patrons de chaîne. Tu vois, rien n'a vraiment changé. Si j'avais été dans l'appareil comme tu l'étais, je serais retraité et en morceaux. Je continue parce que je suis seul, mon avenir c'était toi. Je voulais te dire ça, aujourd'hui 18 avril 2009 : tu me manques au point de me sentir seul sans toi.

Mon Jean. Laisse-moi te raconter tout ce que tu ne peux plus voir ni entendre. Là où tu es et moi à Paris. Rester ensemble pour se parler.

D'où l'on vient

Salut, frangin. Hier et avant-hier soir, France 2 a diffusé le film de Romain Icard sur la Shoah par balles[1] et les pogroms de l'ex-Empire austro-hongrois. J'ai pensé à toi, en regardant défiler le générique final. J'aurais voulu t'appeler pour en parler. Nous venons de là, toi et moi, Jacques et maman et papa.

J'ai mal dormi.

Tout ce qui s'est passé, en Bessarabie, dans les Balkans, en Ukraine, avant l'horreur des chambres à gaz, dans ces villages fleuris, tranquilles, où notre oncle Maurice est mort poursuivi et crucifié dans un bois, comme ça, en 1944.

Je pense à la famille, au temps qui passe. À toi, à ce que tu ressens. Je pense à la télévision aussi – je n'en sors pas. Tu veux mes sondages radio ? Ça va, c'est bon. Les audiences de « Vivement Dimanche » ? Tout est bon. Je ne devrais pas

---

1. *Shoah par balles : l'Histoire oubliée.*

y penser, j'y pense quand même – tu me connais. Mon premier livre va devenir un téléfilm, produit par ton ami Jean Nainchrik – avec qui tu es descendu en Provence deux jours avant ta mort – et réalisé par Jean-Daniel Verhaeghe sur une adaptation de Joëlle Goron, trois références. Quels acteurs pourraient y jouer nos rôles et ceux de nos parents? Cela nous ressemblera-t-il? Est-ce possible? En tout cas c'est pour toi. Pour une trace à laisser.

Hier et avant-hier, dans ce film retraçant l'époque qui a précédé la Solution finale, j'ai vu des milliers d'êtres humains, hébétés, engloutis, et enfin recouverts de terre. Tous morts sans rien dire. On a comblé les fosses. Devant la mort on ne bronche pas.

Moi non plus, je ne dis rien. Je ne me suis pour ainsi dire jamais révolté. Et je n'ai pas beaucoup d'aptitude à la vengeance. Ce film m'a troublé. Nous, nous serions-nous défendus? Comment? Qu'aurions-nous fait? On se serait dit quoi? Nous nous serions sauvés sous les arbres? Papa et maman, eux, avaient quitté la Roumanie dix ans auparavant, attirés par ce pays de liberté où papa rêvait de devenir médecin, et français. Le docteur Abraham Drucker, que l'histoire va rattraper et qui sera dénoncé à la Gestapo en 1942. Pourtant l'as-tu jamais entendu se plaindre ou en vouloir à qui que ce soit? Il engueulait tout le monde sans détester personne. Je ne me souviens pas de l'avoir entendu parler de l'Holocauste. Rien à faire : on ne répond pas à la mort par la mort, à la haine par la haine. Comme notre père, la rancune est un sentiment que j'ignore. Inconsciemment, peut-être est-ce le désir de retourner l'horreur jusqu'à vouloir être aimé coûte que coûte, même de ceux qui vous condamnent? En fait, c'est une forme de désarmement. Souvent on me reproche ma trop grande bienveillance, moi je la trouve naturelle. Quand on s'intéresse aux gens, s'ils vous inspirent de la curiosité, vous les comprenez mieux, et comprendre c'est être indulgent.

Avoir un conflit avec quelqu'un est difficile à vivre pour moi. J'aime mieux réparer. Et puis, comme le dit souvent Guy Bedos, le meilleur moment de la fâcherie n'est-ce pas la réconciliation? J'ai toujours voulu plaire, à chaque instant, à n'importe qui, être aimé signifie être rassuré, chez moi ce n'est pas une stratégie, c'est instinctif, depuis toujours, presque de la survie. Pourtant, au bout d'une existence, être aimé ou non par tout le monde, on devrait s'en ficher un peu, non? Mais non, un conflit, je ne peux pas. C'est ma règle, mon traité de paix à moi. Objectivement, j'oublie. La vie est trop courte. Avec Françoise Coquet, l'autre jour, nous avons ri de nous apercevoir que nous étions fâchés avec un artiste sans pouvoir nous rappeler pourquoi.

Il y a peu de choses sur lesquelles je ne peux pas revenir. Toujours, quand je peux, je reviens.

Rappelle-moi

Je reviens toujours et toi tu ne reviens pas. C'est comme ça. Je pense à tout ce que tu n'as pas dit, à ce que je n'ai pas su, pas vu, pas entendu. Je pense que tu es mort malheureux, terrassé par trop de soucis, que tu es mort de silence aussi et de choses que tu ne pardonnais pas. Circonstances professionnelles, sentimentales. Et d'une blessure plus profonde enfin qui vient d'où nous venons. Pourtant, ton inaptitude au bonheur, aujourd'hui je voudrais tant que nous la partagions encore.

Ce jour-là

Les circonstances de ta mort me hantent chaque jour depuis le 18 avril 2003. Et chaque jour je me dis : À quoi ça sert? Que peut-on contre le destin? Alors pourquoi? Pourquoi ces circonstances m'obsèdent-elles?

J'écris ce livre pour que l'on ne t'oublie pas, toi qui étais mon idole. Pour tous ceux qui me disent Jean était un gentleman, pas un tueur, aux antipodes des caricatures de ce métier où on a vu arriver tant de nouveaux marchands prêts à faire de la télévision en gros comme ils vendraient des jeans ou des pizzas. Pour tous mes invités qui, spontanément, juste avant un enregistrement dans les coulisses de « Vivement Dimanche », viennent me dire trois mots de toi.

J'écris ce deuil parce que je ne peux pas faire autrement. Je voudrais tourner la page, mais est-ce que ces pages-là se tournent jamais? Dans mes séances de dédicaces, après la sortie de *Mais qu'est-ce qu'on va faire de toi?*, j'en ai rencontré tant, qui eux non plus ne peuvent pas oublier. Qui eux aussi ont leurs photos, leurs souvenirs, leurs grigris. Une pensée. Quand je croise quelqu'un qui a perdu quelqu'un, nous retournons ensemble vers le passé. Ce jour-là nous rattrape toujours.

Nous sommes le 12 août.

Tu aurais un an de plus.

Je peux comprendre la mort mais je ne comprends pas la tienne. Mourir d'une crise d'asthme, à soixante-deux ans, dans la solitude et la panique d'une fin de nuit. As-tu souffert long-temps ? As-tu vu la mort venir ? Je ne le supporte pas. Ceux qui ont perdu un proche dans un acci-dent d'avion disent tous à quel point ils ont besoin de voir le corps. Des hommes du sous-marin *Kourks* ne restent que des fleurs jetées à la mer. Moi pour-tant je t'ai vu dans la chambre, couché, beau, comme si tu dormais. Je t'ai accompagné jus-qu'au dernier instant de l'incinération au créma-torium de la Timone à Marseille. Et pourtant, je ne m'y fais pas. Comment peut-on mourir d'une crise d'asthme en 2003 ? Je n'admets pas cette mort parce que je ne l'ai pas vue venir.

Tu étais tout près, à six kilomètres. Et je ne le savais pas. Anéanti, absent, j'ai signé les documents qu'un médecin me tendait et je suis resté seul avec toi pendant deux jours et deux nuits. J'ai tout ima-giné, tandis que le téléphone sonnait à chaque

minute. Depuis, je revis ces deux jours. Je gamberge, je me raconte n'importe quoi. Qu'aurait-on
pu faire qui ne l'a pas été?

Je n'ai pas senti que mon frère allait mal cette
semaine-là, en voisin, à un jet de vélo. Soudain, le
dernier jour est arrivé et rien ne m'a averti. Ni toi
ni aucun signe. Ta dernière nuit dans le beau mas
que tu aimais tant, auprès de ta compagne Anaïs,
de votre fils Vincent, et du couple de gardiens.

Mais moi je te vois tout seul.

Et je n'étais pas là.

Ça ne sert à rien de revenir sans arrêt
là-dessus, et pourtant j'y reviens. Plus je me dis de
ne plus y penser, plus j'y pense. Nous sommes
obsessionnels chez les Drucker – peut-être cela te
fait-il encore sourire?

J'y pense à vélo l'été à travers la Provence, en
passant devant ta maison, hachée par les grillons.
J'y pense et je rabâche. Je me parle à moi-même
en roulant parmi les oliviers. Et j'écris ce livre pour
me libérer d'un deuil impossible.

Tu serais mort en voiture ou en avion, je
l'aurais mieux accepté. Je crois. Mais tu es mort
dans ton quotidien, une nuit, chez toi. Presque
sans bruit. En permanence, ta mort jette une
ombre, des questions. Durant les deux jours qui
l'ont précédée, tu étais ici et je ne le savais pas.
Toi aussi ignorais que j'étais en Provence. Nous

ne nous sommes servis à rien. En quarante-huit heures, tu as dû te sentir de plus en plus mal. Tu n'as rien demandé, tu n'as pas appelé. Je n'ai pas appelé. Nous avions autre chose à faire. La vie. Nos vies. Ta mort est injuste, mais je dois m'y soumettre.

Nous avions rendez-vous ce week-end-là, si crucial pour la suite de nos destins professionnels. Qu'y avait-il dans l'existence de mon grand frère que je ne savais pas? Je ressasse ce que m'ont dit Anaïs, les gardiens, les proches qui t'ont croisé dans les derniers temps, l'ambiance difficile à M6, d'autres soucis… Cent fois, j'ai collé et recollé les pièces du puzzle, il m'en manque toujours une. Un trou, un blanc, une question. L'élément manquant. Quelque chose n'a pas été vu, et si nous avions su, peut-être ce drame n'aurait-il pas eu lieu. C'est à devenir fou.

Je mesure combien je t'aimais. C'est toujours vrai. Toujours pareil. Rien n'a bougé. Six années, c'est rien.

Ce week-end allait bouger nos vies, nous rapprocher et, à la veille de ce changement, la vie t'a lâché. Ma hantise vient peut-être de la manière dont j'ai appris ta mort, au petit matin par téléphone. Cinq mots. Les secondes blanches qui précédent l'annonce du décès. Le « il faut être courageux ». Rien n'est plus terrible que d'apprendre la mort d'une personne qu'on aime par téléphone, à cinq heures et demie du matin. Le choc est colossal. D'une voix pâle, Anaïs m'a dit : « Ton frère vient de mourir. » Nous avons été brefs. Toutes les façons d'apprendre la mort sont cruelles. Mais face à un interlocuteur, en présence de quelqu'un, c'est probablement moins dur, moins vertigineux. Je ne me suis jamais remis de la violence de ce coup de fil à l'aube du 18 avril. Elle ne s'est jamais tout à fait dissipée. L'inconscience, la conscience, la nuit, le jour. Où est le vrai, de la réalité et du cauchemar ? La stupeur avant cette course effrénée jusqu'au corps de mon frère, de Paris jusqu'à la Provence d'où je venais de rentrer la veille au soir. Ce retour absurde.

Tu n'étais pas souffrant au point qu'on puisse penser devoir se préparer à ton départ. Apprendre la fin d'une personne malade depuis des années et celle d'une personne bien portante sont deux chocs différents. Tous ceux pour qui le téléphone a sonné comme pour moi comprendront. Comme si la mort restait improbable, irréelle et floue. Sans limites. Certains me trouveront lugubre et obsessionnel, mais c'est ainsi.

Il manque quelque chose. Ce qui a fait l'origine du stress, le pic d'anxiété qui a déclenché un bronchospasme ? Es-tu mort seul de ne vouloir réveiller personne ? Qu'est-ce que tu as fait ? As-tu tiré le signal d'alarme trop tard ?

Un téléphone qui sonne à cinq heures et demie du matin ne peut annoncer qu'une

23

tragédie. C'est ce qu'on se dit, l'espace d'un éclair, en décrochant dans la torpeur du sommeil... J'ai raccroché, sans savoir si je dormais encore, si c'était vrai. Peut-être pas. Peut-être une voix dans mon cauchemar. Puis je me suis levé. Debout, réveillé, pas complètement, mais réveillé, on comprend.

Jean est mort. Tu es mort.

Vous réveillez la personne qui dort à vos côtés. Dany, Jean est mort, mon frère est mort. Vous êtes totalement réveillé à présent, et vous vous demandez de plus en plus : Oui, mais comment? Comment est-ce arrivé? On vient de m'appeler de Provence, j'y étais hier soir, lui aussi. On s'habille, machinalement, on ne se regarde pas dans la glace. On commande un taxi. Je suis allé réveiller Marie pour lui annoncer la mort de son père.

Comme un automate. La ville, les gens, la journée qui commence sur la route d'Orly. Tout est normal. Sauf que les gens ne vous reconnaissent pas comme d'habitude. Ils sentent que vous n'allez pas bien, sans savoir pourquoi. Dans ces moments-là, quand vous êtes un personnage public, on vous dévisage d'autant plus qu'habituellement vous donnez une image contrôlée. Lissée par la télévision. Subitement, ceux qui vous reconnaissent voient un homme pâle, seul, un peu perdu, tombé de son lit et qui fonce vers un avion. L'image de M. Tout-le-Monde. Quand on fait de la télévision on n'est pas tout à fait M. Tout-le-Monde – et on n'a pas le choix. Mais ce matin-là, si. C'était la première fois depuis très longtemps. Je ne pensais plus à rien. Je vivais un drame, et ce drame se trahissait. La seule différence entre les gens célèbres et ceux qui ne le sont pas, c'est que ceux qui ne le sont pas ne peuvent pas imaginer à quel point nous avons une vie qui ressemble à la leur. Ce matin-là surtout. Le deuil, la peine, c'est pour tout le monde pareil.

— Oh, Michel Drucker…

— Monsieur Drucker !

— Oui, bonjour.

— Ça va ?…

Puis les gens n'osaient plus rien me dire, ils me regardaient et leurs sourires s'éteignaient. Ils ne savaient pas, moi non plus, au fond, je ne savais rien de ce qui m'arrivait. Pour la première fois depuis que je fais ce métier, je suis sorti et j'ai entamé ma journée en n'étant plus un homme public. Je ne me souviens pas que cela me soit arrivé une seule autre fois en quarante-cinq ans. Je n'étais plus rien de public. Le public et le privé n'existaient plus, plus de références. Je n'ai jamais eu un visage comme ce matin-là, un visage défait. Je me souviens de ma stupeur devant la vie qui s'affairait. Je me souviens de tous ces regards dans le hall d'embarquement d'Orly. Pourtant je ne suis plus Michel Drucker, seulement le frère d'un frère à l'autre bout de la France qui se précipite vers le premier vol.

Quand je suis en forme, normal, les gens disent :

— Ça va, Michel Drucker ? Alors, ça va ?

— Moi aussi, je fais du vélo.

— Moi aussi, je vais dans les Alpilles.

Quand un personnage connu est mal, instinctivement il fait attention, il n'a pas envie d'apparaître parce que sortir, qu'il le veuille ou non, signifie pour lui se montrer. Subitement j'ai vu dans tous ces regards l'étonnement, le bizarre. Je me souviens de cela. De la tête que je devais avoir à surprendre celle que me faisaient les gens. Cette bizarrerie, c'était moi. Je ne l'avais jamais connue.

En 1996, quand maman nous a quittés, à quatre-vingt-dix ans, je me souviens du dernier soir où je l'ai vue vivante. Très fatiguée, elle m'a demandé d'aller présenter mon émission « Studio Gabriel ». Elle ne quittait plus son lit, nous étions prêts. Papa était mort déjà de ce que l'on appelle une longue maladie à quatre-vingts ans, en 1983, nous nous y attendions. J'ai commencé « Champs-Élysées » quelques jours après. Le chagrin, comme le reste, je le gère – je gère tout, il n'y a rien que je ne puisse pas gérer. Sauf toi. Je me souviens de ce matin comme si c'était hier. Il était dans l'ordre des choses que mon père meure, ma mère aussi. Mais pas toi. Toi, je n'étais pas prêt. Crise d'asthme. Deux mille personnes seulement meurent par an d'une crise d'asthme, et la plupart dans une situation d'isolement, seuls, perdus. Toi tu n'étais pas perdu. Si, Jeannot, tu étais perdu ?

Dans l'aéroport moi j'étais perdu, méconnaissable.

Pour la première fois, les gens ne m'ont rien demandé, ils se sont tenus à distance. Sans venir. En retrait. Certains me saluaient seulement, avant de s'écarter. Je suis allé prendre la queue de la navette, interminable en ce week-end de Pâques. Tout le monde s'est retourné. J'ai pensé : Il faut absolument que je trouve une place, je ne peux pas rester des heures à attendre comme ça. « Excusez-moi. » Et, alors que personne ne me demandait rien, devant les gens qui me regardaient de plus en plus fixement, j'ai dit :

— Mon frère est mort.

J'ai serré une main.

— Mon frère est mort... Mon frère est mort.

Une main, une autre. Tu n'étais parti que depuis quelques heures, personne ne le savait, les gens me présentaient leurs condoléances pour une mort à laquelle je ne parvenais pas à croire. J'ai remonté la file d'attente jusqu'au comptoir. Il n'y avait pas de place. Moi qui veille à ne jamais paraître négligé, ce matin-là je ne suis pas rasé, je tombe du lit en étant à peine passé par la salle de bains. J'ai enfilé un jean. La première veste venue. Ma chemise est mal boutonnée. La veste ne va pas avec le pantalon, je crois. Ce sont mes vêtements de la veille, froissés. Les gens voient ça.

— Mon frère est mort.

Comme si je n'avais pas dormi, comme si je n'étais pas rentré chez moi, comme si j'étais en fuite. Gentiment, quelqu'un m'a laissé son siège dans l'avion en partance pour Marseille.

Ce n'est qu'à Mollégès, chez toi, en me lavant les mains que, relevant soudain la tête dans la glace, je me suis vu.

Je me suis vu le jour de ta mort.

Et je me vois encore.

Qu'avons-nous fait de nos vingt ans?

Tu rêvais de rencontrer Johnny. Toi, le patron, l'énarque en flanelle… Lui, le *bad boy*, la rock star. Le blazer face au blouson noir. Dans les années soixante-dix, je te l'ai présenté. Tu l'avais regardé, médusé par ses silences. Chez Johnny, comme souvent chez les timides, le mutisme est un sixième sens. Sans lâcher un mot, il observe, il entend et il sait. Il pige aussi vite que les champions de tennis anticipent la trajectoire d'une balle adverse. Pour beaucoup, il a l'image d'un type simple, brut de décoffrage. Ils se trompent! Chez Johnny, en artiste venu de la rue, l'intelligence est un instinct, presque une griffe. Quand il entre dans un restaurant, le salon VIP d'un aéroport ou d'une manifestation officielle, d'un regard circulaire, il décèle qui l'aime, qui ne l'aime pas, et ceux qui s'en foutent. Mais au jour J, le soir du concert, les plus réfractaires finiront enthousiastes. Bluffés par sa présence, cette façon unique d'occuper l'espace, en faisant le vide autour de lui.

29

Ajoutez-y une voix d'airain qui miraculeusement ne l'a jamais trahi. Et vous avez les raisons de son hallucinante carrière.

Côté coulisses, Johnny est un artiste exclusif qui exige de ses amis du métier qu'ils assistent impérativement à chacune de ses premières... et de ses dernières. C'est assez contraignant. Doté d'une mémoire phénoménale, il sait qui est venu et qui a manqué, à Bercy, au Parc des Princes ou au Stade de France, à Montpellier ou à Toulouse... Et le boss ne vous loupe jamais.

Nous nous connaissons depuis bientôt cinquante ans. En 1965, nous nous sommes retrouvés à Douai, dans le Nord, pour « Tilt magazine », ma première émission en prime time. Après le premier trou d'air de sa toute jeune carrière, il revenait avec un tube splendide, « Noir c'est noir ». Il le chantait là pour la première fois à la télévision, reprenant le devant de la scène qu'il a toujours jugé être sa place naturelle. Moi, je vivais la panique de mes débuts. Pourtant au retour, à deux heures du matin, sur la route de Paris à bord de sa Jaguar type E, c'est lui qui m'a demandé de sa voix sourde :

— Tu m'as trouvé comment?

J'ai répondu par mon admiration totale. Après un silence, tandis que le bolide fonçait sur l'autoroute du Nord, j'ai ajouté :

— Et moi, tu m'as trouvé comment ?

— … Bien.

Cela fera bientôt un demi-siècle que ça dure, notre inquiétude dans un bolide. Quand nous nous voyons, au premier regard, je devine dans ses yeux la même question. Comme il lit en moi la même angoisse : Alors, et si c'était déjà fini ?

Son inquiétude, je la connais. Le poids, si lourd, de la durée. La gamberge, les stratégies acharnées pour rester dans le coup malgré la mode. Cette mode dont Cocteau disait qu'elle meurt jeune. La hantise de se ringardiser. Pareil pour lui, pareil pour moi. Modestement, je ne suis qu'une personnalité de la télévision, quand pour une star les périls sont bien plus violents. Je ne citerai pas les noms, ce serait trop long et cruel, de la foule de ceux qui ont commis le concert, l'émission ou la course de trop. Comment ne pas rentrer un soir en surprenant dans un miroir, au détour d'un couloir, quelques constatations fatales : silhouette alourdie, crâne dégarni, la ride de trop, une voix fatiguée, la lassitude… Si je suis retourné sur Europe 1 voilà deux ans, moi aussi c'est pour ne pas me scléroser, amadouer l'avenir, reprendre un micro, aller de l'avant en revenant aux sources. En radio, seule la voix doit rester bonne – le reste ne compte pas. La forme se résume au timbre de la voix.

Être une star qui dure, une star vivante – pas la légende foudroyée d'un JFK, d'un James Dean, de Marilyn, Claude François, Elvis ou Michael Jackson –, c'est vivre une guerre et un miracle. On le maîtrise et on ne le maîtrise pas. Nul ne veut mourir déchu. Greta Garbo et Marlène Dietrich, elles, ont préféré ne plus apparaître. Pas une photo, plus une image. Devant le temps qui passe, on peut tout tenter, nul ne pourra rien. Il faudra s'arrêter au milieu d'une pente descendante. Quel que soit son talent, on est jugé sur son image – en télé plus qu'ailleurs. Sur son physique. Gainsbourg le savait quand il disait, mi-cynique mi-blessé : « Moi, avec la gueule que j'ai, le temps joue pour moi… » La fameuse « beauté des laids ».

Quand je vais à une première retrouver pour un soir le Paris qui brille et qui pétille, partout j'entends les mêmes mots : « Oh, ce qu'il a changé ! »…« Quel âge elle a déjà ? »… « Eh ben dis donc… » Et encore : « Oh, lui, mais qu'est-ce qu'il devient ? »… « Il paraît qu'il est malade. » Toutes ces phrases, je finirai par les entendre dans mon propre dos. Lucide, j'attends. Ce n'est qu'une question… de temps.

Aujourd'hui, une femme ou un homme de soixante ans peuvent en paraître dix de moins. Mais moi j'ai l'œil. Malgré les artifices, les retouches, la douceur des éclairages, malgré Sharon Stone clamant photoshopée à la une de *Match* qu'elle est folle de joie d'avoir cinquante ans, l'âge est là. Pareil à une fêlure, dans l'allure, l'hésitation de la démarche, le temps trahit et se venge. « La vieillesse est un naufrage », disait de Gaulle.

Vouloir être toujours là ne signifie pas forcément s'accrocher à la gloire, mais faire face au temps. C'est l'enjeu d'une vie, une vie de gamberge. Johnny vit aussi cette obsession. Sur la fameuse photo de Jean-Marie Périer dans *Salut les copains* où toute la chanson des années soixante sourit à son objectif, l'artiste qui pose près de l'échelle, au-dessus de tous les autres, c'est Johnny. Le photographe ne l'a pas placé ainsi, dominant le groupe. En voyant l'échelle, Johnny a simplement dit : « Moi, je vais me mettre là-haut. » Debout. À part. Et seul. D'instinct il a pris cette place que nul ne lui a plus jamais contestée. Déjà en 1963, il est et veut rester numéro un. Le boss. L'unique.

J'ai du respect pour les défis de l'ambition, et je sais ce que coûte l'énergie de la réussite. Oui, j'aime l'obstination phénoménale qu'il faut pour rester parmi les premiers. Sur un col du Tour de France, dans les allées de la République, les tournées démentes, je sais trop bien de quelles contraintes, de combien de doutes et de petits matins blafards se font ces routes qui paraissent toutes droites à ceux qui les regardent.

On peut distinguer plusieurs types d'ambitions, des plus communes aux plus admirables. Mais les plus absolues perpétuent toujours un rêve

de gosse et une volonté de survivre. Il y a les Rasti-
gnac qui se promettent : « À nous deux, Paris »
– ce n'est pas propre au show-biz… Ceux qui
incarnent les exigences familiales de l'élite où ils
sont nés. Ceux qui ont une revanche à prendre.
Ceux enfin qui sagement entreprennent l'ascension au pied de l'escalier, *step by step* jusqu'au sommet. Johnny, lui, n'a pris aucun escalier, il l'a
inventé. Il s'est créé. Il est arrivé seul sur une
page vierge. Ces gloires-là, les plus belles, ne s'effa-
cent pas. À seize ans, la rue l'a vu naître, comme
la môme Piaf, comme une petite fille nommée
Céline Dion. L'idée d'aller pousser les portes, de
se faire un réseau ne l'a même pas effleuré. Jean-
Philippe Smet s'est jeté dans la chanson comme
dans le vide, il s'est dit : Sur scène je ferai ce que je
voudrai. Me rouler par terre. Hurler. Sans réfléchir, sans calcul, presque sans conscience.

Quand il a démarré à l'Alhambra en 1962,
avec deux chansons dans le récital de la vedette
Raymond Devos, une bonne partie du public
l'a hué. Au premier rang, une star immense l'a
même sifflé.

— Sortez-le !

C'était Henri Salvador. Une vie plus tard, le
petit Johnny Hallyday n'avait pas oublié le grand
Salvador. À la première d'un Olympia de Laurent
Gerra, dans sa loge, il y a quelques années, soudain j'ai vu Johnny pivoter pour tourner le dos à
l'entrée d'Henri Salvador. Ce soir-là de 1962, le

môme apeuré avait voulu quitter la scène sans même chanter sa deuxième chanson. Raymond Devos, énorme star, l'a rattrapé par la manche et ramené face au public. Salvador avait quarante ans pour s'excuser, il ne l'a jamais fait. Johnny avait quarante ans pour pardonner, il n'a jamais pu.

Les stars ne sont pas libérées de la vie ordinaire. Au contraire, elles veulent tout prévoir et ne rien oublier. Tous ceux qui ont réussi dans ce métier ont l'œil du rapace et une mémoire d'éléphant. Leur cerveau est une bande où la mémoire archive, cassette après cassette, chaque jour depuis le premier. Tout le monde finit par oublier, elles non. Aznavour se souvient de chaque insulte, de chaque quolibet. Des descentes en flammes. Belmondo, Céline Dion, Aznavour, de Funès n'ont rien oublié. Le plus grand flingué de ce champ de bataille s'appelle Johnny. « Une petite frappe qui ne sait pas chanter », ce « voyou ignare », ce « scandale sans avenir »... Il s'est bâti sous des sifflets plus forts que les bravos.

Presque tout de suite, un seul va l'aider, croire en lui et lui écrire des chansons. Comme par hasard c'est... Charles Aznavour. En pleine vague yéyé où les petits nouveaux déchaînent passions et sifflets, où les vraies stars s'appellent Bécaud, Brassens, Ferré, Ferrat, Brel, Distel... Aznavour se dit : « Moi, je vais écrire pour ce gars-là. » À Hallyday, Aznavour a donné « Retiens la nuit », et à Sylvie « La plus belle pour aller danser ». Deux phares des sixties. À l'heure où on adaptait à la pelle les succès américains, Aznavour, lui, a choisi une aventure toute neuve : Johnny. Cinquante ans plus tard, Aznavour est toujours là, Johnny aussi – deux sommets à vingt ans d'écart entrés vivants dans leur propre légende.

Johnny ne l'a pas oublié, lui qui n'oublie rien. Toute sa vie, d'un mouvement, il est allé vers ceux qui pouvaient le tirer vers le haut et vers les jeunes. Avec Jean-Jacques Goldman. Avec Nathalie Baye qui lui a présenté Michel Berger. Avec Obispo, Zazie. Avec son propre fils David, dont l'album *Sang pour Sang* reste à ce jour l'album le plus vendu de la carrière de son père.

Aujourd'hui, son vœu le plus cher est de poursuivre une carrière au cinéma, un rêve fragile qui a toujours été encombré par le rocker, l'idole des jeunes. Johnny étouffe Jean-Philippe Smet. Pourtant, dans ses maisons où les écrans sont en permanence allumés, il n'a qu'une passion : le septième art. La nuit, installé dans un gros fauteuil de cuir au milieu de sa salle de projection, il ne dort pas, il visionne encore et encore des films. Comme tous les gens qui lisent peu, sa mémoire visuelle est gigantesque. L'insomnie a fait de lui un authentique cinéphile qui connaît le film noir par cœur, tout le cinéma anglo-saxon sur le bout des doigts. Sa dernière ligne droite doit traverser le cinéma. Toujours prêt à accomplir ce que personne n'a fait avant lui, quels qu'en soient les dangers – son corps en porte bien des stigmates. Je le sais mieux que personne. Avec lui, je n'ai pas connu que les excès de vitesse en Jaguar, j'ai fait aussi de l'hélicoptère.

J'ai traversé le miroir pour me retrouver dans la vraie vie de Johnny, dans ses cogitations nocturnes où sont passés tant de rêves et de délires. À moi aussi, ce jour-là, Johnny a demandé, l'air de rien… l'impossible.

Nous sommes à l'hiver 1998. Son premier Stade de France aura lieu en septembre, juste après la Coupe du monde de foot. Une date à marquer d'une pierre blanche, forcément. Un enjeu plus fort que jamais. Son producteur Jean-Claude Camus, qui sait que je suis pilote d'hélicoptère, me dit :

— Johnny va t'appeler, il s'est mis dans la tête d'ouvrir son spectacle… en arrivant sur le stade en hélico.

— Non !

— Si, si…

Je fais les yeux ronds. Camus, une grosse moue.

— Enfin, c'est impossible !

— Mais je sais bien, Michel.

— On n'y arrivera pas. Ce n'est pas la peine.

— Écoute, je pense comme toi, évidemment. Surtout, tu le laisses rêver et on oublie. Tu sais comme il est…

Avec Johnny, nous adoptons tous la même bonne vieille méthode : ne pas lui dire non frontalement pour mieux enterrer en douce sa lubie. Deux semaines plus tard – six mois avant le Stade de France – Johnny m'appelle. C'est la nuit. Quatre heures du matin. Qu'il soit à Marne-la-Coquette, à Los Angeles ou à Saint-Barth, c'est toujours de nuit qu'il appelle. Là, il se trouvait aux Bahamas sur son bateau, le *Only You*.

— Allô... c'est Johnny. Je te réveille ?

— Non, non, Johnny, pas du tout, à 4 heures du matin, c'est bien connu, je rentre de boîte.

— Quand est-ce que tu viens ?

— Johnny... Paris-Les Bahamas je peux faire ça dans la matinée, en bourrant un peu.

— Viens me voir dans les Caraïbes !

— Mais je ne peux pas !

— Ah bon ?... Pourquoi ?

— Je travaille.

— Ah, tu fais toujours de la télé... Ça t'amuse encore ! Bon, tant pis, écoute... Voilà : je VEUX arriver sur le Stade de France... Dis, t'as vu *Apocalypse Now* ? ... Bon, ben c'est pareil. On va arriver à quatre hélicos, à pic au-dessus du stade et moi je vais descendre au milieu de la foule en chantant « Allumer le feu »...

— ???

— Oh, tu m'entends ! Il n'y a que les Beatles qui ont fait ça, à San Francisco.

— Johnny, à San Francisco, le stade était plein mais la moitié de la pelouse était vide.

— Et alors ? Puisqu'on ne se pose pas.

— Et comment veux-tu que je te dépose, toi ?

— Avec un machin... Un treuil ?

— Enfin Johnny, il faut être cascadeur, tu n'imagines pas le bruit, le vent, les turbulences que dégage un hélico à basse altitude... Jamais tu ne pourras chanter !

— Je pourrai chanter !

— Écoute, rendors-toi, je me renseigne.

J'ai raccroché avant de me tourner vers Dany.

— Dis... Tu ne devineras jamais ce que ton copain Johnny a encore inventé.

Le lendemain, j'appelle Camus. Il est bien d'accord avec moi : « C'est n'importe quoi, on oublie, fais le mort, ça lui passera. »

Évidemment.

Évidemment non. Ça ne lui est pas passé.

Tous les huit jours : Johnny...

— Allô... Les hélicos, y sont prêts ?

— ... Ce n'est pas possible.

— Alors tu n'es pas mon ami.

— Johnny...

Clic.

Il avait raccroché.

Quinze jours plus tard, énième sonnerie nocturne.

— Allô... c'est Johnny, etc.

— Seul le Samu peut faire ça, et encore.

— ... Comment tu le sais ? Essaie au moins avec un hélico, merde, pas quatre ! Un seul. Mais essaie, essaie, bordel !

Les yeux un peu cernés, je dis à Camus :

— Il ne me lâche pas… Il ne me lâchera pas.

— Je sais bien. Il ne veut même pas voir la maquette du décor, rien. Il ne pense qu'à son putain d'hélico.

Alors je fais une tentative, une seule. J'appelle la préfecture de Seine-Saint-Denis… où on me demande s'il ne s'agit pas d'un canular.

— Écoutez, Michel Drucker, vous plaisantez? On peut imaginer qu'il fasse un tour du stade, au-dessus des tribunes, à l'extrême limite, mais aucun survol n'est possible avec soixante-cinq mille personnes en dessous, c'est exclu, vous pensez bien.

— Et si on ne survole que le toit?…

— Faut voir. À quoi ça vous servirait?

Petit à petit, pas à pas, une folie a commencé de prendre forme. J'appelle Johnny.

— J'ai demandé une réunion avec toutes les autorités compétentes, il y a peut-être une possibilité, il faudrait le faire en deux fois.

— Du moment que je chante en descendant du ciel.

— Johnny, arrête, tu n'entendras même pas l'orchestre!

— Je chanterai, je te dis!

La réunion impliquait une foule de services, ministère de l'Intérieur, héliport, Sécurité civile, le département, les pompiers… une assemblée de vingt personnes. Je suis arrivé, flanqué de Jean-Claude Camus, devant cet aréopage dubitatif.

— Merci infiniment de vous être tous déplacés, je sais que cela va vous paraître surréaliste… Pensez-vous que si nous volions la veille, dans la lumière du concert et à la même heure, on pourrait imaginer un grand tour et éventuellement un stationnaire au-dessus d'un point précis du toit du stade pour l'hélitreuillage de Johnny à dix-quinze mètres de hauteur ?

— Si le stade est vide, oui.

Les pourparlers ont duré des heures, avant que je résume la situation au metteur en scène du show, Bernard Schmidt.

— Alors nous procéderons en deux temps. Le soir du concert, sur un écran géant, nous verrons bien Johnny descendre à partir de la séquence enregistrée la veille tandis qu'en réalité un cascadeur sosie descendra de l'hélico jusqu'à un point du toit. Pendant qu'il descendra, durant une minute trente, sur l'intro d'« Allumer le feu », Johnny s'apprêtera, sous la scène, à entrer au milieu des feux d'artifice pour entamer sa chanson…

Bernard Schmidt m'a fait répéter plusieurs fois, avant de conclure :

— Pointu… mais faisable. OK.

Et ainsi – j'enchaîne cent coups de fils et vingt rendez-vous techniques – nous sommes arrivés au jour J du premier vol, avec Johnny, pour une fois à peine en retard sur l'héliport d'Issy-les-

Moulineaux. On embarque à bord d'un Écureuil B2 venu spécialement de Megève, équipé d'un treuil pour les secours en montagne. Je m'installe à droite du pilote professionnel, mon ami Franck Arestier, un des meilleurs pilotes de sa génération, Johnny au fond de l'appareil face au cameraman. On lui détaille l'opération : le trajet Issy-île Saint-Denis, la tour Philips, l'arrivée sur le stade, le survol circulaire... Sur le toit, une croix blanche marque l'endroit exact où il doit poser les pieds, quinze mètres plus bas.

— T'enlèves le baudrier et tu salues la foule virtuelle. OK ?

— M'ouais.

Le rotor a commencé à tourner. D'une voix assez sourde, Johnny lâche un dernier « OK » dans le casque. Nous décollons. L'équipe tourne des raccords, plan par plan, en plein ciel. Une fois en vol, mâchoires serrées, Johnny me hurle soudain :

— Dis, j'ai oublié de te dire... j'ai le vertige.

— ... Pardon ?

Les pales brassent l'air, le stade est déjà en vue.

— Quoi ???

— Voooui. J'ai le vertige. Je veux descendre.

Je tourne la tête vers lui, à m'en dessouder la colonne vertébrale.

— On ne peut plus reculer. Ça fait des mois qu'on bosse là-dessus ! Oh, Johnny !

En même temps, je le comprends. Nous avons tout vérifié, tout calculé, tout prévu jusqu'au moindre détail sauf l'essentiel : lui. Aura-t-il le cran d'aller jusqu'au bout, maintenant ? Personne n'a pensé à lui, finalement, à qui revient l'exploit au dernier moment de se glisser dans le vide, au-dessus du stade. Je le regarde. Il est redevenu calme. Je ne dis rien. Il ne dit rien. Et doucement nous venons nous placer à la verticale de la croix blanche, prêts à la grande manœuvre, comme si personne n'avait rien entendu au casque. Je le surveille, livide, les yeux fendus, tétanisé. On ouvre la porte, dans le tumulte assourdissant de l'air brassé.

— OK, on rentre, j'ai le vertige.

On ne bouge pas. Ni lui, ni Franck le pilote, ni le cameraman, ni moi non plus. L'hélico en stationnaire bourdonne comme un frelon. En contrebas, le metteur en scène Bernard Schmidt n'arrête pas de mouliner des bras, paré à faire tourner cinq ou six caméras braquées sur Johnny. Je ne sais plus quoi faire, alors j'attends. Dix secondes, vingt secondes – je crois que c'est pour Johnny qu'elles auront été les plus longues.

Une éternité.

Et il a disparu.

Il n'était plus sur le siège.

Il est parti dans le vide pour la plus folle entrée de sa carrière.

Le fameux grand soir est devant nous. Sous des trombes d'eau. Camus m'avait dit : « Michel, tu vérifies la météo. »

Je me suis calé sur celle de Roland-Garros qui est d'une précision diabolique, donnant les prévisions de quart d'heure en quart d'heure. En fin d'après-midi, le Laurent Cabrol de la Porte d'Auteuil m'a appelé.

— Je suis très embêté pour ton copain, il va commencer à pleuvoir dans vingt minutes et ça ne s'interrompra qu'à une heure du matin.

J'étais effondré.

— Pluie battante, Michel, je suis désolé.

Comme les oiseaux de mauvais augure, on peut être tenté de ne pas croire un météorologiste. J'ai prévenu Camus, avant de le rejoindre sous l'averse. Le public, trempé, a commencé d'envahir la pelouse, les gradins. L'eau résonnait en tambourinant sur l'avant-scène. Camus fixait sans cesse le ciel maudit. Jusqu'au moment où il a bien fallu annuler.

— Michel, va le dire à Johnny, toi.

Je suis allé dans la loge, Camus sur les talons.

— Johnny, c'est foutu, on annule tout.

— Comment ça?

— Il pleut des cordes. Trop de problèmes de sécurité.

Johnny a à peine cillé. Avant d'aller droit à l'essentiel en désignant du pouce le stade archicomble.

— Et qui va le leur dire, à eux...

Il y a eu un sacré silence.

— Ben alors, ben vas-y, Jean-Claude... c'est toi le taulier.

Il en riait presque. Pas Camus. Si Johnny mettait un pied sur scène, le public ne le lâcherait plus, exigeant une chanson, puis une autre. La pluie ruisselait sur près de soixante-cinq mille personnes. Le staff redoutait l'émeute tandis qu'au fond des yeux de Johnny brillait un sourire. Parce que la pression retombait, parce qu'il ne chanterait pas, parce qu'un miracle lui donnait quarante-huit heures de répit. Quelques gros nuages le libéraient de l'enfer. Souvent, m'a-t-il confié, avant un mégaconcert, il rêve qu'un événement imprévu de dernière minute, n'importe quoi, enraye la machine, le trac, le compte à rebours pour pouvoir rentrer chez lui en sifflotant. C'est arrivé ce jour-là. Jean-Claude Camus est allé faire évacuer le Stade de France en improvisant un discours resté célèbre : « C'est la mort dans l'âme que… » Pendant que Johnny, déjà, roulait vers Marne-la-Coquette, heureux dans sa voiture.

Évidemment, un remboursement était prévu. Mais les assurances n'eurent pas beaucoup de cheveux à s'arracher. Le lendemain, dans un ciel bleu gris mais sec, un hélicoptère a commencé à vrombir au loin en arrivant sur les spectateurs en transe. Presque place pour place, ils étaient revenus comme un seul homme. Les mêmes. De mémoire d'assureur, personne n'avait jamais vu une fidélité pareille. Même Camus en a été bluffé : « Y a que lui, vraiment, pour susciter ça. »

Ce soir-là, enfin, j'ai vu le ciel, l'hélico, l'écran géant. Le sosie de Johnny s'est posé sur le toit pour se fondre dans la nuit, mais c'était bien Johnny sur grand écran qu'on voyait accomplir son exploit enregistré la veille. Il a surgi de sous la scène pour « allumer le feu » dans un délire qui me donne encore des frissons. Au pied du podium, Camus souriait. Moi aussi, la gorge serrée. Sous nos yeux, soixante-cinq mille personnes entraient en liesse les bras levés vers un gosse tout au bout de son rêve.

De Johnny, Camus a l'habitude de dire qu'il sait tout sur tout le monde. Il veut savoir qui fait quoi. Il n'a pas seulement l'oreille, il a aussi l'œil absolu. Devant la maquette, puis le décor de son barnum en taille réelle, l'équipe tendue attend son verdict. D'abord le boss ne dit rien, il inspecte le décor colossal, les ponts de lumière, il prend quelques minutes avant de lâcher : « Le projo, là-bas, il est trop haut », « le point lumineux, trop bas ». Une marche qui manque. Un détail… Johnny le repère. Céline Dion a la même vista. En balayant des yeux la salle, ils savent où se cache une ultime imperfection. Ils sont à la fois des fauves et des ordinateurs.

Hallyday est le seul homme que je connaisse qui puisse être défait, pas rasé, à peine réveillé et qui, dans l'instant où vous lui mettez un chapeau et que vous dites « moteur », redevient l'idole. Sa gueule, son aura sont indestructibles. Vous lancez la bande-son et il chante.

46

Le jour d'un de ses spectacles au Zénith, nous avons rendez-vous porte de la Villette où nous devons tourner pour « Champs-Élysées » sa nouvelle chanson, « Ma gueule ». Quand nous arrivons, il dort dans sa loge. Il a oublié qu'on devait tourner cette chanson. Fatigué, il préférerait se rendormir mais bon, il se lève, il « arrive ». Quand je l'ai vu, titubant de sommeil, j'ai pensé : « On ne va pas pouvoir tourner. Mais puisqu'il est là, autant essayer... » Play-back, chrono, Steadycam (une caméra volante, très mobile), tout est en place. La régie lance l'enregistrement... Ce fut la plus belle télé de « Ma gueule ». Un pur moment d'anthologie. En une seule prise.

Sur quoi Johnny est reparti se coucher... Deux heures avant son concert.

Il a eu toutes les gueules, barbu, avec lunettes, en costume, en santiags, en cuir ou en liquette à fleurs... Il a changé si souvent de look, mais avec une telle présence qu'à travers ce vestiaire il est resté le même : lui. Rien à faire. Comme ses silences. Un bloc d'homme.

Toutes les stars ont un dénominateur commun : l'immédiateté. Présence, instinct, puissance de travail, anticipation et la dernière chose, la moins rationnelle de toutes : la baraka. Madame la chance. Dix fois Johnny s'est fracassé au volant, dix fois il aurait dû y rester... Et il est là. Il s'est brisé le dos, les hanches, la jambe, un seul muscle ne l'a jamais lâché, jamais trahi, son diamant : sa voix. Je l'ai vu dévasté parfois, dans tous les états imaginables ; aphone, rarement.

Quand Johnny s'approprie une chanson, il la broie, il la digère pour la faire renaître telle que les auteurs n'auraient jamais pu l'imaginer. Il chante « La Quête » aussi bien que Brel, et son « Je ne regrette rien » ferait frémir Piaf.

Souvent absent ou l'air éteint, soudain la machine se met en route. L'heure du compte à rebours a sonné. Pour chanter, il va reprendre sa silhouette, retrouver sa forme et son énergie. Six mois avant une échéance considérable, Johnny entame son décompte. Il chante en mai au Stade de France ? En janvier, février, mars, avril… cinq mois durant, vous ne le voyez plus qu'une bouteille d'eau à la main. Sous vos yeux, il fond. Ce Johnny dont ses détracteurs disent, de plus en plus souvent, de plus en plus fort : « Cette fois il est cuit, foutu, il ne reviendra pas. »

Et il revient, comme s'il avait toujours été là.

Maintes fois j'ai vu cette métamorphose.

18 heures. À le voir effondré, mutique, tête basse sur le canapé de sa loge, on s'inquiète dans un silence glaçant : il ne chantera pas ce soir. Lui-même l'annonce parfois à Camus : « Ce soir, j'chante pas. » Il adore charrier Camus. Il a mal partout, mal dormi, pas envie. Il voudrait juste fermer les yeux et qu'on lui foute la paix. « Je suis fatigué. » Il est toujours fatigué.

La maquilleuse entre, dans ses petits souliers. Le coiffeur arrive, prudemment. Johnny se déshabille et commence alors un prologue extraordinaire, celui du toréador enfilant son habit avant d'entrer dans l'arène.

Dix-neuf heures.

Le Zénith, le stade deviennent un grondement. Le chanteur est là, bouteille d'eau à la main. Et à chaque minute il rajeunit.

— Monsieur Hallyday... dans un quart d'heure ! lui glisse Camus.

Sa loge se vide. Tout le monde sort. Un soir, je suis resté avec lui jusqu'au bout. Il ne me voyait plus. Subitement il se dresse, il se fait face dans la glace. Ce corps à corps est prodigieux. Plus rien n'existe. Hallyday et ses cinquante ans de carrière redeviennent un homme seul, un seul soir, unique, où va se jouer sa vie. Il n'est plus là. Maintenant. Maintenant, on ne rigole plus. Ils sont là. Eux, ils, les gens, le public, encore. Ils ont payé cent, deux cents euros. Ils savent, ils veulent – Johnny le sait – que *leur* chanteur revienne mouiller sa chemise. Pour que chacun d'eux rentre chez soi en se promettant : « Dans trois ans on reviendra, Johnny. On y sera. » Avant, il va tout donner. Après, il a tout donné.

Sur scène, c'est le plus grand.

À la fin d'un concert, il regagne sa loge, hagard. C'est très émouvant. Il me l'a dit : « Je ne vois rien. » Il regarde sans voir, avant et après, comme si chaque fois, pour y aller, pour en revenir, il traversait une autre dimension.

Pendant l'intro de l'orchestre, on dirait qu'il va mourir. Monter à l'échafaud. Après tant d'années, ce moment demeure le même gouffre, absolument surhumain. Au bout de la troisième chanson, Johnny est dedans, sans plus aucune notion du temps. Enchaînant les titres, il oublie les années. Il chante, il passe de la douleur au bonheur et s'en va lessivé.

Camus le félicite. Mais presque toujours Johnny lâche : « Y a eu une couille, à tel moment. »

Jamais content. Sorti de scène, il a cessé d'être heureux.

Un jour, il m'a confié : « Une heure, un quart d'heure avant un concert, j'ai toujours l'impression que je ne chanterai pas, que je n'y arriverai pas. » Étrangement, il est heureux parce qu'il a peur.

Sur scène, il l'emporte. Il gagne. Il faut y aller pourtant, seul face à soixante-cinq mille personnes. Sans aucun droit à l'erreur. Ses shows sont devenus gigantesques, réglés à la minute et au mètre près. Impossible de recommencer. Impossible de fuir. Peut-être une telle pression explique-t-elle pourquoi toute sa vie il a pu paraître parfois si fermé, si violent et si seul.

Aux Baux-de-Provence, lors du mariage de Jean Reno, j'ai bien vu que Johnny me faisait la gueule. Il est passé devant Dany et moi sans répondre à mon bonjour. Inaccessible, enfermé en lui-même. Puis il a fini par revenir vers nous, son verre de rosé à la main. Je le connais par cœur. Enfin, il m'a lancé :

— Je te parle plus. T'es pas venu. C'est ça, l'amitié ?

— Tu repars en tournée, je viendrai pour la dernière...

Sa voix sourde a claqué.

— C'est pas une excuse.

— Mais j'irai te voir à Bercy.

Autour de nous, les amis ont senti le malaise.

— T'es pas un ami, t'es pas venu à ma première, tu viens jamais, après tout ce qu'on a vécu ensemble ?

C'est rare quand Johnny hausse la voix. Laeticia, tout de suite, a perçu l'agressivité. Je l'ai vue entraîner son mari à part puis discuter avec lui, tête basse, muet. Je pouvais lire sur leurs lèvres : « Comment tu as parlé à Michel ! »

Johnny est revenu vers moi.

— Alors, tu viens à Bercy, hein, surtout t'oublies pas ?

C'était fini. Nous étions redevenus comme avant.

Lorsque est arrivé Bercy, je me suis cassé le talon sur un de mes décors. J'avais encore mes cannes mais j'y suis allé quand même. Nous ne nous étions pas téléphoné, Johnny n'a pas eu besoin de me rappeler ma promesse, j'y suis allé… en chaise roulante. Laeticia est venue m'accueillir au sous-sol du Palais Omnisports pour m'emmener jusqu'à sa loge.

— T'as vu Michel, il est venu en fauteuil !

Johnny a ri, m'a embrassé.

— Tu pars pas avant la dernière chanson, hein ?

— Non, non…

— De toute façon, si tu pars, je le verrai.

Quand le couple a adopté Jade, j'ai offert à sa petite fille un grand cheval de bois. Au téléphone, Johnny m'a remercié pour le jouet. Après un silence, il m'a avoué :

— … C'est moi qui l'utilise.

J'ai une admiration et une tendresse particulières pour lui parce que nous avons le même âge. J'ai peur pour lui comme j'ai peur pour moi. Une même angoisse qui m'a rendu hypocondriaque et sobre, lui ivre de risques. Nous avons une solide fraternité dont nous ne parlons jamais. Comme avec Jean, en fait. Un lien si profond qu'on ne sait plus comment l'aborder. Ces dernières années, j'ai espéré qu'il ne fasse pas le combat, la scène de trop. Que ses excès ne le rattrapent pas, en lui faisant payer le prix fort. Nous nous sommes suivis durant toute notre existence. Nous avions vingt ans. Moi en costume Mao, lui en cuir. Nous ne venions pas du même monde, nous n'avions presque rien en commun, sinon la jeunesse. Je débutais, lui était déjà l'idole. Il connaissait déjà la profondeur du noir, moi pas. Il aura été mon copain, mon frère d'angoisse, lui dans la légende, moi à la télé. Johnny, c'est tellement plus que le show-biz, et même plus que le rock'n'roll.

Sa route suit la nôtre, celle de millions de Français. Et pour moi elle prolonge celle où nous sommes rentrés de Douai à Paris ensemble après notre première émission. Je ne savais pas qu'elle filerait jusqu'à aujourd'hui et, quoi qu'il arrive encore, je trouve ça beau.

Compiègne

Une si jolie petite ville
Bien installée au bout d'une forêt
Qui ne demandait rien aux autres que la paix
Un soir, mon père m'en a parlé

Une si jolie petite ville
Un coin de France en montant vers le nord
D'où des millions de gens sont partis vers la mort
Un soir, mon père m'en a parlé

Tout est redevenu tranquille
Il y a longtemps qu'on les a oubliés
Ces convois de voyageurs pour l'éternité
Pourtant, la gare n'a pas changé

Une si jolie petite ville
Où est la poste ? Un gamin te répond
« C'est juste derrière le camp de concentration »
Est-ce que c'est mal, est-ce que c'est bien
Que le gamin ne sache rien[1] *?*

Dès le premier péage de l'autoroute du Nord, je le sais. Je le sens. Cette journée ne sera pas

---

1. « Compiègne », composé et chanté par Marie-Paule Belle. Paroles : Françoise Mallet-Jorris et Pierre Delanoë. © Warner Bros.

comme les autres. En cinquante ans, je suis allé partout mais je ne suis jamais revenu à Compiègne. Cinquante années, autant dire une vie. C'était en 1960. Mon père a reçu ma convocation, un vendredi. Il était nerveux, comme tous les jours, mais un peu plus le vendredi car c'était jour de marché. À quatorze heures, la salle d'attente était comble. Dans notre campagne de Basse-Normandie, le docteur passait toujours en dernier, après les affaires et les bestiaux. Ma mère lui a tendu la lettre recommandée, il a ouvert l'enveloppe et je l'ai vu blêmir. À son rictus, cette lettre le terrassait.

Michel, son fils cadet, était affecté à Compiègne au camp de Royallieu, base 117 de l'armée de l'air pour y effectuer son service militaire. J'avais dix-huit ans et la tête ailleurs, loin de ce qu'avait pu être l'existence de mon père. Du passé, qu'est-ce que je savais ? Les questions ne pouvaient venir que de l'avenir, pas d'hier. J'étais trop préoccupé par mes soucis pour savoir qu'il y avait eu d'autres souffrances, bien plus grandes, dont il avait eu sa part. Je n'ai pas réalisé, ce jour-là, que ma feuille de route pour Compiègne signifiait pour lui le retour au cauchemar. Car Abraham Drucker avait été interné dans ce camp sinistre en 1942, où il était resté douze mois, avant d'aller en passer treize autres à Drancy. Dans ces lieux d'horreur d'où sont partis tant d'hommes, de femmes et d'enfants jamais revenus. De temps en temps, je l'avais surpris à évoquer Royallieu en compagnie de quelques rescapés arrêtés et dénoncés comme lui dans la Normandie de la guerre. Mais cette Histoire semblait leur appartenir, révolue et presque secrète, ils s'en souvenaient entre eux à voix basse. Jeune, à la fois soucieux et insouciant, je n'y prêtais pas attention. Ce n'est que bien plus tard, et hélas surtout à partir de la disparition de mon père, que j'ai compris ce qui s'était déroulé là, sur quelles traces j'étais venu passer six mois de ma propre vie, le temps des classes. Là d'où partirent les premiers wagons plombés pour Auschwitz. Je n'ai qu'un souvenir précis, un seul. Je me souviens d'une histoire de tunnel. D'un tunnel qu'évoquait papa... Une poignée de déportés héroïques l'avaient creusé pendant des mois, long de plusieurs dizaines de mètres pour déboucher sur les bords de l'Oise, théâtre d'une évasion qui s'acheva sous les balles des miradors.

Cinquante ans plus tard, ce samedi de février, je reviens. Ma gorge est sèche. Malgré un demi-siècle d'urbanisme, quelque chose de familier, un horizon, semble ressusciter à travers les années. Parce que je redoute cette confrontation, j'ai demandé à Philippe Devillers, mon fidèle assistant et chauffeur, de m'accompagner. J'ai besoin de quelqu'un, d'une présence à mes côtés. Intuitivement, je préfère ne pas affronter seul des centaines de regards plus douloureux les uns que les autres. Une foule s'est massée sur l'esplanade du camp. Beaucoup de visiteurs ont découvert la veille, en lisant *Le Courrier picard,* la raison de ma présence. À la fois la vie de mon père et ma convocation, jadis, au service national : ce Drucker Michel né le 12 septembre 1942 à Vire, tenu de se présenter devant la base aérienne 117 du camp de Royallieu, armée de l'air, le 13 octobre 1960 à sept heures trente. « Se pourvoir de quelques effets personnels, le paquetage du seconde classe lui sera remis sur place. » À la fin de l'été 1942, le 12 septembre, jour de ma naissance, mon père était absent. Il avait disparu, arrêté par la Gestapo, il se trouvait quelque part entre Fresnes et Compiègne. Ma mère, elle, fuyait. Et dix-huit ans après lui, en 1960, leur fils cadet reprenait le chemin de Compiègne. Comment le destin peut-il jouer ainsi ?

Avant mon départ de Vire pour rejoindre le camp, ma mère m'avait avoué que mon père était resté KO debout pendant plusieurs jours.

Au milieu de la foule, je redécouvre la géographie du lieu sans en mesurer l'horreur. L'époque de mon père superposée à celle de mon service militaire. Sur les dix-sept baraquements, il n'en reste que trois, qui constituent ce musée du Mémorial qu'on inaugure aujourd'hui, en ce samedi 23 février 2008. J'ai accepté l'invitation du conseil général et du maire de Compiègne, en sachant que ce pèlerinage serait une épreuve. Il l'a été. Simone Veil, invitée d'honneur, s'est désistée la veille pour raisons personnelles. Je comptais sur elle pour faire bonne figure. Au fond, je suis seul au milieu d'une foule où beaucoup se demandent ce que je viens faire là. Ceux qui ont lu mon livre savent qu'un Français d'origine roumaine fut l'un des médecins de ce camp et qu'il avait pour nom Abraham Drucker. Le président du Sénat Christian Poncelet représente l'État. Le maire de Compiègne Philippe Marini perçoit mon désarroi devant le Mémorial de l'internement et de la déportation. Une journaliste amie, Gaëlle Placek, consœur de *Télé-Loisirs*, a tenu elle aussi à assister à cette cérémonie. D'origine polonaise, sa famille a connu l'enfer de la déportation. Nos regards se suffisent, l'émotion peu à peu nous rend muets. Je suis d'autant plus désorienté que la caméra de Gérard Pont me filme pour un portrait que mon ami et coauteur de ce livre, Jean-François Kervéan, réalise avec Jean-Pierre Devillers pour France 3.

Nous ne parlons plus.

Sous un ciel bas et gris, je me cache derrière mes lunettes de soleil. Marseillaise devant la stèle. Passage devant un mur de verre où sont gravés en lettres noires, comme suspendus dans l'air, les noms des cinquante-quatre mille hommes et femmes passés par ce camp. Des dizaines de doigts cherchent celui d'un frère, d'une sœur, d'un ami. Je trouve le mien : Drucker. Abraham Drucker. Par-delà le temps, un chagrin palpable bouleverse des familles entières. Moi aussi. Peut-être parce que pour la première fois je mesure la blessure la plus profonde et la plus secrète de mon père, celle qui le hantait et sur laquelle il n'avait pas de mots. Parmi cette foule promise à la mort, lui avait réchappé aux wagons plombés. Papa avait survécu.

Plusieurs personne m'abordent, je ne les distingue pas très bien mais j'entends leur voix : « J'ai connu votre père », « J'en ai entendu parler », « Il a soigné mon mari comme il a pu, vous savez… avec les moyens du bord ». Un monsieur, très âgé, me dit dans un souffle que mon père faisait des certificats médicaux bidons qui laissaient un sursis aux détenus – la contagion épouvantait les nazis, dans leur machine de mort, une infirmerie dispensait un simulacre de médecine où mon père a fait ce qu'il a pu. Une vieille dame revenue d'Auschwitz me parle encore de lui.

Mon père et son mal-être. Cette exaspération, cette angoisse dans laquelle il se débattait, sa frénésie, son manque absolu de patience, comme s'il ne pouvait plus rien attendre, ne fût-ce qu'une minute, cette agitation mystérieuse qui l'avait envahi et qui nous le rendait inaccessible. Infernal. Mon père malade. Malade d'être vivant, d'être rentré, d'avoir échappé aux chambres à gaz. Et je repense à toi, mon Jean. Le noir de ton regard. Cet air sombre qui a traversé notre jeunesse, ton charme ombrageux, ton inaptitude à cueillir le bonheur, à respirer – à être bien. Plus près de lui que moi, toi l'aîné, juste derrière notre père, l'anxiété t'a atteint de plein fouet le premier. Une telle souffrance générationnelle peut se transmettre. Elle a envahi mon père avant de prendre ses fils, mais si lui elle le submergeait, toi Jean tu auras passé ta vie à la contrôler. À canaliser tes émotions sans trahir aucun signe de relâchement. L'Europe centrale, les Carpates d'où nous venons nous faisaient déjà slaves, le camp de Compiègne a accru cette sensibilité. À la fameuse âme slave s'est mêlé pour toujours l'air toxique que je respire en cette journée froide de février sur l'esplanade de la mémoire, entre les cocardes et les officiels. Là où mon père fut frappé au plus intime de lui-même et deux générations de Drucker après lui. Tu portais la trace de cela toi aussi, petit garçon que traînait notre mère, enceinte de moi, dans sa cavale. Et je la porte encore. Notre sang mêlé d'Histoire, de la nostalgie jusqu'à la mort, ce passé de nos parents, de ce médecin revenu de Compiègne et Drancy déglingué. Ton asthme, Jean, j'en suis certain, est né là. De même qu'une grande part de ta vie. Ce qui a eu lieu a façonné ta détermination, ta discrétion, tes études brillantes sous les arcanes de l'ENA, l'école du self-control. Comme moi mes phobies, mon égocentrisme, mes extrasystoles.

Nos trois vies.

J'y pense en pénétrant dans l'un des baraquements, celui-là même, encore debout, où j'ai couché troufion durant des mois. Je le reconnais. Celui-là même, me dit-on, où le docteur Drucker tenait son infirmerie de fortune. À vingt ans d'écart, j'ai couché où mon père avait essayé de dormir. Au milieu d'une part inconnue de sa vie. Mon lit et le sien, le destin les a réunis là, pour toujours. Dans cette révélation incroyable, quelque chose a fini de m'envahir et de m'achever.

La visite continue. Les flashes crépitent, dans la foule on me tend des stylos pour signer quelques livres, un micro de la radio locale veut avoir mes impressions et Gérard Pont préfère éteindre sa caméra.

Je me suis écarté, j'ai pris mon mouchoir, je suis allé un moment devant un mur. Lui, mon père. Toi, mon frère. Mon grand frangin aux nuits agitées de notre adolescence. J'ai tant parlé de mes hantises, en oubliant les tiennes. De quoi souffrais-tu, toi, premier en tout, tombeur de filles, fierté des Drucker? De quoi as-tu eu si mal? Je repense à tes cauchemars, comme papa. À ton somnambulisme qui me faisait tellement rire au petit déjeuner. Combien de fois maman, en pleine nuit, t'a ramené dans ta chambre après t'avoir découvert parlant tout seul dans la cuisine? Où étais-tu, que disais-tu, à qui, ces nuits-là?

Si mon père n'est jamais venu me rendre visite à Compiègne, toi oui, de temps en temps, bien qu'accaparé par le concours de l'ENA. Ton service militaire, tu le ferais en Iran, au titre de la coopération. Je trouvais que tu avais de la chance. Cet Iran du shah et de la shabanou, tu l'as tellement aimé, tu en parlais en m'émerveillant, l'Iran des

Perses. Je pense à ton passage dans ce pays en croisant chaque semaine Farah Pahlavi, devenue ma voisine à Paris ; il y a quelques années, je lui ai consacré un « Vivement Dimanche » d'exception à l'occasion de la sortie de ses Mémoires[1]. Tu me parlais souvent aussi du peuple iranien dont personne ne prévoyait la révolte. Qu'aurais-tu dit de ce qu'il vit aujourd'hui dans ce si beau pays dirigé par un homme dangereux ?

La journée à Compiègne s'achève par des discours. Je croise encore quelques silhouettes, leurs dos voûtés, leurs crânes aux cheveux blancs, des êtres vacillants. Le plus dur a été de monter à la tribune dire quelques mots. En descendant de l'estrade, le responsable des archives de l'Oise me tend un document que je vais lire attentivement dans ma voiture. Je ne reprendrai la route qu'après un long moment silencieux. Je publie ce document ci-dessous en l'honneur de notre père, parce qu'il aurait été heureux, aujourd'hui, qu'on pense à lui de cette façon et pas seulement comme au père d'un patron et d'une vedette du petit écran.

Dans ce document est notre père et à travers lui une histoire qui ne nous quittera jamais, Abraham, Jean, Jacques et moi.

---

1. Parus aux Éditions XO en 2003.

« Archives du Val d'Oise

Sanatorium départemental de Saint-Sever.

Témoignage du Dr A. Drucker,
Médecin assistant au sanatorium de Saint-Sever (Calvados), envoyé à Monsieur Berg, le 15/2/ 1946.

Monsieur,
En réponse à votre lettre du 3 décembre, je me permets de vous adresser un rapport sur ma captivité et des choses vécues. Le rapport est sommaire. Il est difficile de raconter des horreurs vécues pendant deux ans et demi avec précision. Je m'excuse de vous répondre tardivement. J'étais souffrant et j'avais plusieurs rapports à poursuivre pour différentes commissions des crimes de guerre.
Veuillez agréer, Monsieur, l'assurance de mes meilleurs sentiments.

A. Drucker

J'ai été arrêté au sanatorium de Saint-Sever le 28/4/1942 par la Gestapo de Flers dans l'Orne, sur dénonciation d'un membre du PPF[1] pour fait de résistance, affaire jugée en cour de justice le 24/1/1946 à CAEN.

Amené à la prison de Flers, régime cellulaire, brutalisé pendant quatre jours.

Ensuite transféré à la prison de CAEN, après avoir subi un long et dur interrogatoire, dans le bureau de la Gestapo, de CAEN.

---

1. Le Parti populaire français, parti fasciste fondé par Jacques Doriot en 1936.

64

Transféré ensuite en wagon plombé avec 200 camarades des environs, au camp de concentration "ROYAL LIEU", à COMPIÈGNE où j'ai été détenu jusqu'au 26/5/1943.

J'ai passé les mois de mai et de juin au petit camp "C", réservé aux juifs.

Dans ce camp, nous avons subi des sévices de toutes sortes : la faim, le manque d'hygiène, appels interminables, coups, vermines, chiens-loups de garde particulièrement féroces, interdiction de communiquer avec l'extérieur, interdiction de recevoir des colis; nous vivions dans la terreur perpétuelle; arrivage de juifs de Drancy, de Pithiviers, retour à Drancy, retransférés à Compiègne, de sorte que, au bout de deux mois, la cachexie et les maladies s'emparaient de la plupart des détenus. Dans l'infirmerie très sommaire manquaient les médicaments les plus élémentaires.

Les deux sous-officiers chargés de ces camps juifs s'appelaient : SCHUBERT et KRAUS, deux brutes infâmes qui passaient leur temps à frapper, à vociférer et à nous rendre la vie intenable.

Le médecin-capitaine allemand FORTWANGLER, chargé comme inspecteur de notre infirmerie, venait presque tous les matins nous ordonner d'examiner tous les malades du camp, et il y en avait plusieurs centaines, afin de lui présenter les cas les plus graves, susceptibles d'être transportés à l'hôpital.

Mais ceci n'était que comédie, car il refusait systématiquement l'évacuation de ces malades, en menaçant, en injuriant aussi bien les médecins internés que les malades et, autant que je me souvienne, il n'a consenti à évacuer que quelques cas, un ulcère de l'estomac en pleine hémorragie, une sinusite – malades d'ailleurs récupérés ensuite au Val-de-Grâce et déportés.

Ce médecin allemand ne cessait, du reste, de nous montrer sa haine et tout son mépris pour les juifs et, à maintes reprises, quand nous lui demandions d'autoriser l'évacuation d'un grand malade, il répondait : "Tuez-vous entre vous, comme cela on aura la paix".

Une autre fois, le médecin allemand nous a demandé de rechercher des internés atteints de maladies vénériennes, de lui présenter ces malades, afin de les envoyer au Val-de-Grâce.

Nous avons pu déceler un certain nombre de cas et, lorsque nous lui avons présenté la liste, il a refusé de les envoyer à l'hôpital.

Le 5 ou le 6 juin 1942, [il y a eu] un appel qui a duré la journée entière, pendant lequel un triage a été fait par les sous-officiers du camp. Le soir même, plus de douze cents juifs ont été parqués dans les écuries du camp et, le lendemain au petit jour, toute une section de feldgendarmes faisait son entrée dans notre camp, les 1 200 camarades par rangs de 5, parmi lesquels il y avait au moins 500 malades, furent amenés à coups de crosse à la gare de COMPIÈGNE et déportés.

Le lendemain, un autre groupe, pendant un nouvel appel, a été amené à Drancy et, dans ce groupe, se trouvait Me MONTEL, avocat à la cour d'appel de Paris, et un autre groupe qui est resté a été transféré de l'autre côté des barbelés, ce qu'on appelait le camp "A" des politiques.

Je me trouvais dans ce dernier groupe ; nous étions tous plus ou moins cachectiques et avons été soignés par les camarades médecins de ce camp.

Le camp juif "C" de Compiègne a été supprimé le 6/7/1942, date à laquelle la première déportation des politiques a eu lieu de ce camp "A", à la suite de l'évasion de 19 camarades le 21/6/1942 par un tunnel.

Dans cette première déportation de politiques de 1 200 personnes se trouvaient 50 juifs, mêlés aux autres, parmi lesquels : le Dr PECKER de Caen, INDICTOR, coiffeur de Caen, LEHMANN, de Cabourg mais originaire de Sedan – et d'autres camarades dont le nom m'échappe.

À partir du 6/7/1942, j'ai été affecté à l'infirmerie du camp "A" avec les médecins internés : le Dr BREITMAN de Romorantin, le Dr GALLOUEN de Rouen ; en décembre 1942 est venu se joindre à nous le Dr BODSON de Hirson (Aisne), qui venait d'être arrêté.

Comme infirmiers, je signale les camarades : Lucien FRANÇAIS, maire de Vitry-sur-Seine, POUGEOL, instituteur de Rouen, MARTINI, des environs de Joinville, VISITINI de Trieste.

Là également, nous avions comme chef le médecin allemand FORTWANGLER. Dans ce camp, il avait une attitude moins brutale. Nous étions restés un groupe de 18 juifs, séparés des autres dans le bloc, portant l'étoile jaune ; parmi ces 18 se trouvait le grand rabbin de Bayonne GINSBERGER. Nous avons été autorisés à percevoir des colis et à correspondre deux fois par mois, comme les autres.

À ce moment, les détenus du camp "A" étaient considérés comme des otages, et nous avons compris que ce groupe de 18 juifs, dont je faisais partie, était lui aussi maintenu là comme otage.

Le 1er/8/1942, un groupe de 6 personnes a été amené dans notre camp, de la Santé – de Paris, parmi lesquels il y avait 5 juifs polonais, dont 1 médecin : le Dr BURSTIN, originaire de Lodz , et un journaliste du nom d'ADLER. Ils étaient tous dans un état lamentable. Notre groupe juif comptait donc 23 personnes à ce moment.

Le 11/8/1942, à 2 heures du matin, nous devions avoir la preuve de notre qualité d'otages, car les 6 camarades venus de la Santé, dont le Dr BURSTIN, ont été cueillis, en plein sommeil, par des SS venus en autobus, brutalement arrachés de leurs paillasses et amenés vers une destination inconnue. Nous avons appris qu'ils avaient été fusillés le lendemain, au mont Valérien, avec d'autres martyrs : 116 victimes en représailles d'un attentat commis à Paris contre un membre de la Wehrmacht.

À partir de cette époque, les déportations se succédèrent à une allure accélérée ; tous les jours rentraient au camp 100, 200, 300 et plus de personnes arrêtées, venues de tous les coins de France, de toutes les prisons, et tous les quinze jours, 1 000 partaient en déportation après avoir passé une prétendue visite médicale très sommaire, subi une fouille, été parqués pour la nuit dans les écuries du camp ; le lendemain, au petit jour, sous bonne escorte – police SS mitraillette à la main –, partaient vers la gare de Compiègne ces malheureux détenus pour être déportés.

De temps en temps, des officiers SS venaient inspecter le camp, procédaient à des interrogatoires, pour certains on voyait aussi quelques libérations où des camarades appelés à la Kommandantur ne revenaient plus...

Un jour, le médecin allemand nous a demandé de lui présenter de grands malades en vue de leur libération pour raison de santé. Nous, médecins internés, nous nous lançâmes avec joie dans ces recherches ; nous croyions par moments qu'il y avait du changement, un espoir, une amélioration. Quelques-uns furent effectivement libérés, et pas toujours les plus grands malades ; puis, tout cela se perdit aussi, on aurait dit que tout était calculé pour nous dérouter, nous désorienter, en nous appliquant le système "douche froide" et "douche chaude". Il est arrivé parfois, quand le médecin allemand paraissait de bonne humeur, d'obtenir l'évacuation vers le Val-de-Grâce de quelques camarades malades mais, comme c'était lui qui contrôlait le Val-de-Grâce, il renvoyait les malades au camp quelques semaines après.

Le 26 janvier 1943 arriva un convoi de 2 000 internés du Vieux-Port de Marseille : hommes, femmes, enfants, Arabes, Sénégalais, presque tous en haillons, beaucoup pieds nus, en chemise de nuit, arrêtés dans leur lit et embarqués tels.

Ces 2 000 personnes, à part les femmes et les enfants, ont été internés dans le petit camp "C", ancien camp juif. Quant aux femmes, [elles étaient] 350 environ, elles ont été mises dans deux blocs – et un mur en bois a été construit en quelques jours –, autour de ces deux bâtiments, afin qu'aucun contact ne puisse s'établir entre nous et elles.

Ces 2 000 personnes ont été soumises à un régime de représailles particulièrement féroce. Le Dr RAYMOND WEILLE, 21, rue de la Pompe, à Paris, le Dr CLARTE de Raon-l'Étape et moi-même avons été désignés par le médecin allemand pour soigner les malades. Une petite infirmerie a été installée dans ce camp; parmi ces 2 000 internés, il y avait environ 650 juifs, mêlés aux autres, et notamment beaucoup d'individus de droit commun.

Au bout de deux mois d'un régime de famine, mauvais traitements, absence de médicaments, une maigre soupe à midi, 200 grammes de pain avec une cuillerée de confiture ou 10 grammes de margarine, régime quotidien, presque tous ont été atteints de cachexie grave, et il en mourait entre 3 et 4 tous les jours.

Tous ont été infestés de poux, à telle enseigne qu'on a pu voir des plages de poux sur leurs vêtements.

Des scènes de plus en plus horribles se déroulaient jour et nuit, brutalité la plus sauvage de la part des Allemands, querelles et batailles entre les détenus pour un morceau de pain, pour une cigarette.

Quant aux femmes, même régime. Toutes étaient dévorées par les poux et la gale.

Beaucoup de tuberculeux et syphilitiques ne pouvaient recevoir aucun traitement.

En vain, nous supplions le médecin allemand FORTWANGLER d'autoriser l'évacuation des grands cachectiques ; il me souvient d'avoir essayé de lui forcer la main en préparant dans l'infirmerie pour la visite une cinquantaine de cachectiques, complètement nus, de véritables cadavres vivants, qui ne tenaient debout que parce que appuyés contre le mur. Et lorsqu'il entra et vit ce spectacle, les yeux exorbités, il cria en portant la main vers son revolver : "Révolte, émeute, qu'est-ce que cela signifie ?". Et lorsque je lui répondis que c'était une présentation de malades, il cria : "Une balle, trop cher, gaz asphyxiants", et tourna les talons.

Suivant les instructions de ce barbare, tous devaient mourir mais à l'infirmerie et non à la baraque, sinon, nous, les médecins, nous serions fusillés. Nous étions obligés de faire des rondes matinales dans les baraques, afin de transporter l'agonisant à l'infirmerie pour qu'il y meure.

Cette mesure a été dictée dans le souci de récupérer les objets des malheureux qui, pour la plupart, disparaissaient dans la baraque à peine la mort survenue.

De ces Marseillais, 5 ou 8 ont été évacués une fois à l'hôpital de Compiègne, sur l'ordre du médecin allemand, et ramenés le lendemain à la suite de l'évasion de l'un deux.

Vers la fin du mois de mars 1943, les 650 juifs de ce camp ont été transférés a Drancy, d'où ils ont été déportés deux jours après.

Quant aux autres qui sont restés, un grand nombre sont morts à Compiègne, et les autres déportés de Compiègne.

Le 26/5/1943, notre groupe juif du camp "A" comportait 90 personnes parmi lesquelles : le colonel BLUM, de Belfort ; le pharmacien ARON, de Paris ; le Dr Raymond WEILLE, de Nancy ; le Dr NACHI, de Paris ; Paul SERF, de Saint-Avold (Moselle) ; les frères ULNO, de Besançon, et tant d'autres sans oublier M. HANDSCHUH et ses deux fils, de Paris.
Le 26 mai au soir, nous avons été amenés à la gare de Compiègne et embarqués dans un wagon à bestiaux plombé, escortés par des gendarmes français, des gardes mobiles, vers une destination inconnue.

Après dix-huit heures de voyage, nous sommes arrivés à Drancy. J'ai séjourné à Drancy jusqu'au 18/8/44, date de ma libération grâce à l'arrivée des Alliés.
[...]

A. Drucker. »

Une famille française

Comment aurais-tu approché du chiffre 7 ? Je me souviens d'une de nos conversations où tu me disais que, tant que nous n'étions pas passés au chiffre supérieur, nous restions au minimum du chiffre inférieur. Selon toi, l'âge se compte par décennie. Alors j'ai soixante ans. Et demain, toi et moi, d'un coup, nous en aurons soixante-dix puisque je te suis à treize mois, presque jumeaux ; Jean, 12 août 1941 – Michel, 12 septembre 1942. De toute façon, tu serais resté élégant, un peu dandy, habillé sur mesure. À l'ENA, tu faisais déjà gravure de mode et j'entends encore parler de toi comme le P-DG le plus smart du PAF.

Je t'écris de mon bureau. Ici, c'est chez moi. Au sommet de l'immeuble, juste au-dessus de celui de Dany où passe toute l'intendance. Un tout petit bureau – comme au Studio Gabriel – avec mon vélo devant la baie vitrée. Personne n'y vient jamais, sauf Jean-François Kervéan, chaque samedi,

pour travailler avec moi sur mon livre. Nous rece-
vons très peu à la maison. Nous préférons y vivre
entre nous, j'aime sentir le bouclier de la porte
d'entrée se refermer sur moi après une journée
folle. Pour être tout à fait tranquille, je grimpe ici,
jusqu'à mon bureau sur le toit. Je retrouve la
coupole dorée des Invalides, mon quartier de
l'Alma et dans mon dos les antennes de la rue
Cognacq-Jay que la télévision publique a fini par
quitter. Moi pas. J'ai dit combien dès mes débuts
j'ai voulu vivre, dormir et me réveiller dans le
périmètre de l'ORTF. Mon existence se sera
concentrée sur un kilomètre carré autour de mes
fenêtres. Je me demande parfois ce qu'elle aurait
été sans la télévision. Quels auraient été mes
bonheurs si j'avais été médecin de campagne
comme papa. Éducateur en banlieue, faisant mon
maximum pour que des gamins ne finissent pas
mal. Professeur de sport. Ou militant d'une ONG
sous d'autres horizons. Je rêve, comme au fond de
la classe du lycée de Vire où j'entends encore les
profs me faire sursauter : « Eh oh, Drucker, vous
êtes avec nous ? » Aujourd'hui je m'imagine même
faire de la scène, sans oser l'avouer à personne. Je
rêve d'écrire et d'interpréter un one-man-show.
Philippe Caverivière, l'auteur du brillantissime
Nicolas Canteloup, m'y incite… Je songe à d'autres
vies que la mienne, moins exposées. Mais non… Je
suis encore là et c'est de télévision ou de radio
dont je te parle encore. Je lis mes notes, préparées

avec tant d'amitié et de sérieux par mes fidèles Éric Barbette et Grégoire Jeanmonod. Je les relis jusque dans mon lit la veille de mes émissions, pour dormir dessus, travailler pendant mon sommeil. Emmagasiner et mémoriser. Je ne lâcherai donc jamais. Même si j'en ai ma claque parfois, rien ne me plaît autant qu'une journée de forcené, sans vide ni répit, saturée de regards, de rencontres et de voix. Je ne saurai jamais m'arrêter. Rien que d'y penser, je panique. J'aime monter ici la tête bourdonnante après avoir raconté à Dany les dernières nouvelles du front. Chaque matin, j'allume la télé machinalement, tout en pédalant sur mon vélo d'appartement, pour regarder du coin de l'œil ce que font les autres. Le portable vibre sur la table, l'émission de demain, celle de dimanche, celle du mois prochain, les prime times, mes invités de la semaine sur Europe 1 calés par Vanessa Zha. J'aime les retrouver à l'antenne en compagnie de la prometteuse Wendy Bouchard. Autant de rendez-vous qui me font battre le cœur. L'angoisse, c'est bon signe finalement, la preuve de l'importance des choses. Je téléphone, je me renseigne, je demande, je m'inquiète, je répète, je rabâche, je me calme en vérifiant, encore et encore. Je court-circuite les assistants tout en sachant pertinemment qu'ils ont bien fait leur boulot. J'appelle Françoise Coquet deux fois par jour depuis quarante ans et mon assistante Cathy toutes les heures. Le précieux Philippe Allain, dit Filoche, qui dirige

75

DMD Productions, pareil. Anticiper, avoir un coup d'avance, un projet, une année, toute une vie d'avance ! Je suis « usant », comme dit Dany. Et j'ai besoin être rassuré. Parce que papa nous disait toujours : « Puisqu'on n'est sûr de rien, prépare-toi beaucoup, plus que les autres ! »

Mais j'ai toujours un moment volé pour appeler quelqu'un qui ne va pas bien. Je voudrais n'oublier personne, ne jamais décevoir, être irréprochable. Quand j'ai lu mes messages, rappelé tout le monde, après avoir éteint la télévision pour redescendre, je regarde Paris, le ciel, et je pense à toi, mon frère, qui reposes tout près du Trocadéro et de la tour Eiffel. La nuit, ses lumières veillent sur toi. Je suis moins triste de te sentir pas bien loin, à vol d'oiseau. La mort ne nous fait pas quitter les gens que nous aimons. On éprouve cela en vieillissant, aussi. Je pense à toi un moment dans mon petit bureau, durant tout le temps qu'aurait duré notre conversation téléphonique quotidienne. C'est l'heure où je prends les décisions importantes. Comment expliquer à quel point quelqu'un peut être à la fois si présent et si absent ? Au fond je n'ai rien changé entre nous, je t'appelle toujours aussi souvent – sans comprendre pourquoi toi tu ne rappelles plus. Pourquoi je n'entends plus jamais sur mon répondeur : « Allô, c'est moi, rappelle-moi… »

Il faut que je te raconte mon déjeuner avec Claude Guéant. Il t'aimait beaucoup. Le conseiller du président Sarkozy va jouer un rôle déterminant dans la désignation du successeur de Patrick de Carolis. Nous nous sommes retrouvés chez Laurent, le restaurant des décideurs à l'abri des regards et des petits revenus. Patrick de Carolis sera-t-il reconduit à la tête de France Télévisions, malgré le soutien indéfectible du conseiller du Président ? Le Président m'a demandé mon avis sur l'avenir du « paquebot ». « Qui pour remplacer Patrick de Carolis ? » Ma réponse a été immédiate : « Patrick de Carolis. » La rumeur prétend que le Président aurait pensé à moi. J'ai déjà entendu François Mitterrand ou Jacques Chirac me glisser, impénétrables : « Pourquoi ne songez-vous pas à entrer dans l'appareil ? Vous avez l'âge du rôle et la légitimité. » Mais un saltimbanque, même organisé, peut-il faire un bon patron ? Diriger, c'est savoir dire non, non ? Piloter un grand service public, c'était ta vie à toi, Jeannot. Si tu avais été vivant, peut-être aurais-je été tenté. Avec mon frère… Un ticket avec toi, cela aurait eu de la gueule. Avec toi, il y a tant de projets auxquels je dirais oui.

Jean, c'est Michou, rappelle-moi, j'ai quelque chose d'important à te dire.

Rappelle-moi.

Vite.

Rien ne m'éloigne de l'antenne ni de la radio. Aucun signe de lassitude. Je guette pourtant ces signaux d'alerte, je ne voudrais pas les rater, mais non, rien. L'audimat et ses dangereuses courbes ne décrochent pas. D'où viendra la faille dans mes bilans, qui lâchera le premier, de mon corps ou de l'audience ? Je me le demande. J'en fais trop sans doute, je veux trop en faire, il faudrait savoir prononcer ce foutu petit mot qui m'est si difficile : Non. Tout m'intéresse, tant de choses me concernent, j'ai encore tellement de lacunes à combler. Tout me fait espérer des émissions nouvelles, des challenges à relever.

Prochain défi : un tête-à-tête d'une heure avec Jacques Chirac à l'occasion de la sortie du premier tome de ses Mémoires [1], le même qui t'a viré de la tête d'Antenne 2 en 1986. Cocasse, non ? Tu imagines, Jean ? Tu te rends compte ? Le Président, chez moi, en tête-à-tête exclusif, ça aurait bluffé maman. Je te fais rire ? Tu crois que je peux faire ça, moi ? Ce sera formidable, vraiment, tu le penses ?

Après plusieurs semaines de tractations, ça y est. Jacques Chirac viendra à « Vivement Dimanche » et ne viendra que chez nous. Je ne le prendrai pas sur le terrain de la politique, à quoi bon. Tout Paris bourdonne de sa probable mise en examen pour une douzaine d'emplois fictifs jadis à la mairie de Paris. Nous en parlons

---

1. *Chaque pas doit être un but*, NiL Éditions, 2009.

sans cesse avec l'équipe, Françoise Coquet, Claude Sérillon, Éric Barbette, en nous demandant si c'est une question à lui poser... même si son livre ne concerne que la première période de sa vie, jusqu'à la présidentielle de 1995. Jean, tes conseils me manquent. Même si je devine ce que tu m'aurais dit : ne pas poser cette question serait une faute professionnelle.

Trois semaines avant la diffusion, tout est calé au Studio Gabriel. Fleurs, traiteur et réglages des lumières au milieu des salons pour la séance photos. Les serveurs ont mis la bière Corona du Président (sa préférée) au frais. L'équipe est au garde-à-vous. J'ai demandé à ce que l'on me prévienne dès son arrivée pour l'accueillir sur le perron du Pavillon.

Sa voiture se range, la portière s'ouvre et Jacques Chirac se déplie lentement de la banquette avant de se dresser, chaleureux.
— Bonjour, Michel !
— Bonjour, monsieur le président.
— Alors... Bernadette est arrivée ? Non, bon... À propos, quand est-ce qu'on mange ?
Ce premier rendez-vous est consacré à une séance photos pour la presse. Cet après-midi, une fois le Président parti, nous enregistrerons les témoignages de ses proches qui, au fil de l'émission, viendront illustrer son interview. Jacques

Chirac reviendra pour l'enregistrement de notre tête-à-tête, quelques jours avant sa diffusion. Il s'est plié à toutes nos demandes.

Je le suis au maquillage. Dans cette loge, l'état d'esprit d'un invité se perçoit mieux que partout ailleurs. Quand je demande à mon amie Nelly Pierdet – qui a maquillé la terre entière et ses présidents – comment est l'invité d'aujourd'hui, j'apprends toujours beaucoup.

Chirac y est égal à lui-même, enjoué, charmeur. Cet homme vit pourtant la période à la fois la plus douloureuse et la plus heureuse de sa vie. Visiblement ses problèmes d'audition le perturbent. Pour l'entretien, l'équipe a prévu la sono puissante que nous utilisons parfois, comme nous allons le faire dans le « Vivement Dimanche » spécial « Ils ont quatre fois vingt ans », qui réunit une brochette épatante : Annie Cordy, Charles Aznavour, Line Renaud, Ginette Garcin, Marthe Mercadier, Marcel Amont, Micheline Dax, Roger Carel, Colette Renard et même Valéry Giscard d'Estaing… autant d'idoles des ménagères de plus de soixante ans. (J'ai adoré ce moment d'antijeunisme. Le public aussi.) Pour Jacques Chirac, on va ressortir « la sono spéciale » – ne croyez pas que j'ironise, cette sono un jour on l'utilisera pour moi.

Claude Chirac n'a pas perdu la main, elle arrive avec quinze cravates et fait illico changer celle de son père pour la une de *TV Magazine.* Plus tard, en entretien, elle sera vraie.

— Y a-t-il encore pour vous des zones d'ombre chez votre père?

— Bien qu'étant sa fille, je ne peux pas dire aujourd'hui que je connaisse totalement Jacques Chirac.

Pour évoquer ses deux mandats à l'Élysée, nous avons retrouvé un moment d'émotion dans les archives, ce jour de mai 2007 où Jacques Chirac passe le témoin à Nicolas Sarkozy. La caméra remonte doucement la foule des collaborateurs massée dans la cour d'honneur, avant de saisir soudain Claude Chirac, seule, un peu à l'écart dans un blouson de cuir rouge. Levant la tête pour suivre le départ de son père, on voit des larmes sur son visage. Elle m'a avoué n'être jamais retournée à l'Élysée depuis. Pas une seule fois.

La dernière fois que j'ai interviewé Jacques Chirac, pendant l'hiver 2007, il m'avait parlé pendant vingt minutes de son épouse. Je m'étais permis une ultime question : Y a-t-il une vie après l'Élysée? Sa réponse a fait le tour de l'Hexagone. On y avait perçu la preuve de son départ. Dans deux semaines, je lui poserai la même, le jour de son anniversaire. En apprenant que le 29 novembre, Jacques Chirac allait avoir soixante-dix-sept ans, j'ai demandé de décaler l'émission à cette date.

Les Chirac ne sont pas n'importe quelle famille pour moi. Au fil des années, j'ai appris à bien les connaître. Bernadette fut l'invitée de deux « Vivement Dimanche », le Président est également intervenu à deux reprises chez nous. Cette fois, nous allons avoir un moment unique avec la présence de son petit-fils de treize ans, Martin. Trois générations...

Une heure après son grand-père, je vois arriver un jeune homme décalé, qui vit sa vie d'ado, adorant le rap et les films gore. Très cool, durant l'interview, il me dit : « Ma grand-mère, Bernie, est un peu snob mais mon grand-père, lui, c'est un... déconneur. »

Cette famille m'aura donné parmi mes plus beaux dimanches. Sans chercher le sensationnel, j'ai toujours voulu faire connaître les Chirac tels qu'ils sont. Ce que j'espère de cette émission – et je l'assume – c'est qu'ils en repartent heureux. Quel journaliste pourrait dire aujourd'hui avoir fait la connaissance de Chirac voilà quarante-cinq ans, un dimanche après-midi, à l'heure du thé, chez les Pompidou ? Michèle Arnaud, ma productrice de « Tilt Magazine », m'y avait traîné pour « m'éduquer ». J'avais vingt-trois ans, pas grand-chose à dire mais les yeux grands ouverts. Cet échalas irrésistible, au sourire carnassier, c'était déjà Jacques Chirac. Le thé avait le goût d'un début de carrière pour lui comme pour moi. Chez le Premier ministre et sa femme, à Orvilliers, au milieu de Daisy de Galard, Marie-France Garaud, Pierre Juillet ou Olivier Guichard, barons du gaullisme, le jeune loup était plus à l'aise que le petit animateur.

À l'autre bout des dimanches, c'est encore lui qui m'a fait officier de la Légion d'honneur. Quant à Bernadette, je lui dois l'une de mes meilleures audiences de « Vivement Dimanche ». Cet après-midi-là, celle que son mari surnomme la tortue a quitté sa carapace. J'aime l'idée qu'une tortue ait eu sa revanche sur les conseillers de la présidence (dont Dominique de Villepin, qu'elle surnommait alors Néron) et même sur sa propre fille. Tous ceux qui pendant des années la reléguèrent loin des caméras pour ne pas nuire à l'image du patron.

Aujourd'hui, devant la baie vitrée ouvrant sur les jardins, « Bernie » est fidèle à elle-même, droite, franche, lucide. Elle évoque les « papillons attirés par la lumière », un mari « séducteur ». « Je ne suis dupe de rien, glisse-t-elle, comme Hillary Clinton. » À l'opposé du couple Carla Bruni-Nicolas Sarkozy, les Chirac ne savent pas faire le show et pourtant ils sont un spectacle vivant.

Avec eux, je vais boucler ma plus grande boucle. Ils sont en quelque sorte notre dernière famille royale. Plus proches du mode de vie des de Gaulle – en moins spartiates, certes – que des joggings de la communication contemporaine. Avec eux un monde s'en va et tout ce qui s'en va me touche. Dans mon premier livre, j'ai dit combien je ne voyais pas en Bernadette cette dame patronnesse dont elle a parfois l'air, par timidité. En fait, son franc-parler est sans égal. Elle, si traqueuse à l'idée de la moindre faute, paradoxalement, ignore à peu près complètement la langue de bois. En confiance, son humour ravageur peut faire crouler de rire l'assistance. Dans ses réponses, la vérité l'occupe toujours davantage que la dissimulation. Quant à lui, même rompu aux pratiques du pouvoir, jusqu'au bout il demeurera le petit-fils d'un radical-socialiste, plus proche du peuple – un mot qu'on n'emploie plus – que des élites. Dans ses balades sur les quais aujourd'hui ou sur la place des Lices à Saint-Tropez, je sais que les rencontres d'un instant avec des inconnus font sa joie.

Tout à l'heure, sous le pinceau de Nelly au maquillage puis pendant la séance photos, Jacques Chirac donnait l'impression d'être toujours le même. Plaisantin, enjoué. Dans son entourage on m'informe que la fin de matinée est son meilleur moment. Après le déjeuner, sa sieste est vitale. Chez lui, c'est aussi difficile à définir qu'émouvant, il y a désormais comme un flou, ses repères sont moins précis. Il vous fixe sans rien dire, puis les choses repartent, à son rythme et dans son climat. C'est le Président.

Cet homme paradoxal a toujours été aussi ouvert aux autres que verrouillé de l'intérieur. L'isolement que peut représenter un problème d'audition, sa courtoisie de ne pas faire répéter l'interlocuteur accentuent l'étrange distance que l'on ressent en sa présence. À la fois familier et inatteignable. Ce paradoxe me trouble. Comme devant un monde en train de s'éloigner. J'aborde cet entretien avec appréhension.

Jacques Chirac, comme François Mitterrand, garde cette volonté de conserver la maîtrise, coûte que coûte, jusqu'au bout. Tous deux se ressemblent aussi par cette obsession. Rester stratèges et lutteurs jusqu'à leur dernier souffle.

Au seuil du studio, au moment de son départ après les photos, Jacques Chirac s'est retourné et il m'a embrassé.

— C'était bien... tout était bien. Je vous remercie beaucoup.

Son bras m'a attiré dans un aparté.

— ... À l'époque, en 2002, vous savez, Michel, je vous parle sérieusement, votre émission avec ma femme a été capitale pour nous, il fallait que vous le sachiez.

— Et aujourd'hui, vous avez été heureux, monsieur le président?

— Oui... et la famille aussi!

J'espère qu'il sera en pleine forme pour l'entretien définitif. À la fin, son petit-fils Martin et

Bernadette devraient venir en plateau lui souhaiter joyeux anniversaire avec un cadeau. Et moi j'aurai atteint mon but : enregistrer la belle histoire des Chirac.

En ce mercredi 25 novembre, Jacques Chirac revient au Studio Gabriel, cette fois pour l'entretien. En deux semaines, deux nouvelles contradictoires l'ont touché. Il est devenu le premier ex-président de la République française inculpé (pour ces emplois fictifs datant du temps de la mairie de Paris) – la machine judiciaire lancée depuis vingt ans a fini par le rattraper. L'histoire n'oublie rien. Et pourtant, au même moment, « Chi-chi » trône au sommet des sondages de popularité, en personnalité politique préférée des Français. Il revient de la Foire du livre de Brive où sa présence a quasiment soulevé une émeute enthousiaste, il aurait pu signer son livre deux jours durant dans son fief de Corrèze. J'y ai remarqué son hommage appuyé à François Hollande : « Vous avez les moyens de vos ambitions et la stature d'un homme d'État. » Hollande, qui, nouveau look et de plus en plus omniprésent dans les médias, rêve de suivre les traces d'un Chirac. Ce bain de foule au cœur de ses terres l'a rasséréné. Moi non. Je suis inquiet de n'avoir pas de nouvelles de son petit-fils Martin, ni de sa maman Claude. Son franc-parler d'ado a-t-il posé un problème ? Le scoop de ce « Vivement Dimanche »

86

sera Martin, je le sais bien. Finalement, quelques jours avant la diffusion, Claude Chirac et le papa de Martin, Thierry Rey, viendront visionner l'interview de leur fils et le trouveront épatant.

Chirac arrive seul, sans Bernadette, qui préfère nous rejoindre un peu plus tard avec le petit chien, cadeau d'anniversaire dont nous voulons lui faire la surprise. À plusieurs reprises, j'ai parlé à Bénédicte, l'assistante du Président, de plus en plus précise dans ses conseils : « Vous savez, il faut vraiment commencer avant onze heure et demie, c'est l'heure où il est le mieux. À l'approche du déjeuner, le Président a faim... Il est moins concentré. »

Selon ses proches, le Président s'inquiète à l'idée de cet entretien. Et pourtant l'homme qui sort, comme un peu engourdi, de sa voiture, ne laisse rien paraître. L'éternelle grande main de Chirac se plaque sur mon épaule.

— Comment ça va, Michel !

Comme à son habitude, rien ne filtre. Je l'emmène sur la scène du Studio Gabriel, où ne règne pas l'effervescence habituelle. La salle est vide, étrangement silencieuse, avec uniquement nos deux fauteuils, comme convenu. Selon sa volonté, il n'y aura pas de public. Jacques Chirac donne le change, en claironnant.

— ... Et on mange quand ?

Je salue Bénédicte et Frédéric Salat-Baroux, le dernier secrétaire général de l'Élysée, celui qui le dernier, selon l'expression de Jean-Pierre Elkabbach, a éteint les lumières avant de quitter le palais ; aujourd'hui il est le compagnon de Claude Chirac. Et toute l'équipe du Président rejoint la régie. Concentré, Jacques Chirac s'est muni de petites notes. L'entretien est prévu sur une heure et quart.

D'après la construction de l'émission, je connais les sujets sur lesquels il sera prolixe : sa passion pour les arts premiers, l'évocation du musée Guimet où son père l'emmenait adolescent. La poésie. La figure magistrale de son grand-père. Un parcours ponctué d'intervenants : Michèle Cotta, la journaliste qui le connaît le mieux, François Pinault, son ami depuis plus de trente ans. Je sais qu'il sera heureux de les entendre, avec son épouse et sa fille. Quant à son petit-fils, Martin, Jacques Chirac ne s'attend pas du tout à ce qu'il prenne la parole.

Aucune émission ne ressemble à une autre, celle-ci encore moins. Au fil de ces derniers jours, tandis que se réglaient les derniers ajustements, j'ai mieux saisi le message que m'adressait l'entourage du Président, ma prémonition devient presque une certitude : il s'agit probablement de sa dernière longue interview télévisée. Au Studio Gabriel, chacun semble l'avoir deviné. L'ambiance est presque solennelle mais pas crispée. Feutrée, sans piège. Quelque chose de l'ordre des dernières fois. Lumière sophistiquée.

Sono bien réglée. J'ai moi-même interviewé les témoins de ce rendez-vous, je les connais tous. Nous avons souvent prolongé la discussion hors caméra. Lors d'une interview importante – tous les hommes de télé vous le diront –, la préparation est quasi sportive. Comme pour un gardien de but, le premier arrêt est décisif. Comme la première réplique au théâtre. Ou le bonsoir de l'animateur du 20 heures. Le ton du rendez-vous se joue sur les premiers instants, quand j'entre avec mon lancement. Refaire est toujours pire. En direct, on se trompe rarement, personne n'a droit à l'erreur. En différé, parfois il m'arrive de devoir recommencer et d'entendre : « T'inquiète pas, on s'arrangera en montant les deux prises. » Dans tous les cas, si je me sens me louper, il me faut plusieurs minutes pour m'en remettre.

Avec Jacques Chirac, nous ne nous sommes pas interrompus. L'émission s'est déroulée dans les conditions du direct. Nous n'avons eu qu'à nettoyer et resserrer quelques longueurs, une dizaine de minutes seulement ont été coupées, rien sur le fond. Je n'ai subi aucune pression. Nous avions conçu ensemble le conducteur, l'équipe de « Vivement Dimanche » collaborant avec celle du Président.

En s'asseyant sur le plateau, dans son fauteuil, Jacques Chirac toussote. Je le fixe en souriant. Je veux qu'il soit bien. L'émotion de cet homme cadenassé est palpable. En tout cas, moi, je la ressens. Avec l'équipe, Françoise Coquet et Éric Barbette, une évidence s'est imposée : je ne ferai pas l'économie d'une allusion aux emplois fictifs. Même si quelques jours plus tôt le Président s'en est expliqué sur l'antenne d'Europe 1 avec Jean-Pierre Elkabbach, considérant « être un justiciable comme un autre ».

Quand j'ai posé ma question, à laquelle il devait d'ailleurs s'attendre, il a répondu sans aucun flottement, arguant posséder « cette faculté d'être imperméable à certaines attaques » (Bernadette, elle, dira le contraire et combien cette mise en cause le touche). Et j'ai été soulagé. Un invité qui se crispe sur une question, chez moi, peut gâcher l'émission. Je me place rarement, pour ainsi dire jamais, en situation de conflit pour obtenir un résultat, une intensité. Je ne saurais pas le faire, je crois, et je le vivrais même comme un échec. Si le rapport de forces est une méthode d'interview, la bienveillance ne peut-elle pas en être une aussi ? Qui peut prétendre ne rien avoir à se reprocher ? Une faille, un défaut, une faute ? Je ne les cherche pas, d'autres le font. Et cette bienveillance est la marque de mon travail. Certains disent même qu'elle en est la caricature. Peu importe, je la revendique. Cette nature peut donner l'impression d'être devenue un système mais c'est ma vérité. Durant le temps de l'antenne, j'ai une empathie sincère pour la personne que je reçois et c'est dans ce lien que nous avançons.

Juste avant l'entretien avec Jacques Chirac, en regardant mes fiches, j'ai pensé à ses deux filles. Celle que l'on n'a jamais vue, Laurence, cette adolescente qui a attendu que ses parents s'absentent, un jour, pour se défenestrer du quatrième étage. Et Claude, la cadette. Quand Jacques Chirac lui a demandé de venir travailler avec lui, je suis persuadé que c'était pour la voir, elle, vivre et grandir à ses côtés. Pour réparer avec l'une ce qui a pu manquer à l'autre. Je sais combien cet homme a sacrifié à la politique, combien une telle carrière peut ouvrir des plaies que les citoyens n'imaginent pas.

Parfaitement cadré par les caméras de Dominique Colonna – pour moi l'un des meilleurs réalisateurs de tête-à-tête parce qu'il sait écouter –, j'ai devant moi Jacques Chirac en 2009. Cinquante ans d'heures de vol, avec bien des turbulences et des orages, mais presque aucun crash. Et, au bout de ce demi-siècle foisonnant, il s'est levé un matin pour trouver son « agenda vide » – je n'invente rien, l'expression est de Bernadette qui, je l'ai dit, n'a pas l'habitude de couper les cheveux en quatre. J'ai devant moi un ancien président de la République qui, à l'occasion de la parution de ses Mémoires, a été sollicité par tous mes confères ; la personnalité politique préférée des Français, en même temps qu'un retraité qui tente de remplir ses journées. L'émission va s'imprégner d'un rythme qui est le sien désormais, ce flottement, cette absence à peine perceptible, mais réelle. Des signes de l'âge ou de la fatigue qui m'émeuvent parce que nous les ressentons ou les ressentirons tous. Je perçois l'homme qu'est devenu Jacques Chirac. Je sais que des témoignages de premier ordre viendront densifier notre rendez-vous et qu'à la fin de l'émission nous nous libérerons des contingences pour un moment plus tendrement familial. Son petit-fils parlera pour la première fois, nous ferons venir un gâteau d'anniversaire et nous lui offrirons un nouveau bichon – Sumette – puisque Sumo, frappé lui aussi du mal de l'Élysée, n'a pas supporté de passer d'un palais sur jardin à un appartement avec balcon. Il a pété un câble... au point de mordre son maître !

L'émission commence. L'homme dans le fauteuil rouge, qui me regarde en souriant, bien que tendu, peut donner l'impression étrange d'être là sans être là. Mais chez lui, comme chez François Mitterrand, je retrouve la capacité qu'ont ces battants exposés à tous vents depuis tant d'années de n'être plus touchés par l'événement qui vient brusquement les perturber. Leur capacité d'indifférence, de hauteur, me fascine. Comme si, d'avoir tant roulé, ils étaient devenus hors de portée. À mon niveau, avec le temps, je le ressens aussi, ce recul qui permet d'échapper à la fureur de l'instant. Voilà encore dix ans, j'aurais été incapable d'un tel zoom arrière, celui qui permet de lâcher prise. Une affaire chasse l'autre, un gros titre efface le précédent. L'amnésie est quotidienne, générale. Les blogs, les portables, les polémiques qui font pschiiit... Au fond, avec Jacques Chirac, je reçois une dernière leçon teintée d'ironie. Je me demande, au bout du compte si, revenu de tout dans son indifférence apparente, il n'y a pas une liberté finale. Je n'avais jamais ressenti une telle impression avec personne.

Durant les dernières minutes, à partir du moment où il a le chiot entre ses bras, plus rien d'autre n'existe. Et je finis l'émission quasiment tout seul. J'ai perdu son regard.

— Monsieur le président, monsieur le président...

Il n'écoute plus mes questions, il a oublié le tournage qui s'achève. Parti, ailleurs.

— La semaine prochaine, je recevrai Charles Aznavour...

— Ah, oui, j'aime beaucoup Charles Aznavour.

Il répond sans quitter des yeux son nouveau compagnon. Qui saura regarder ne verra plus dans ces images qu'un homme et son chien. Cette humanité.

À peine la caméra éteinte, Jacques Chirac redevient un autre, lui-même. Enfin la langue de bois ne le tétanise plus, ni ce style Ve République en noir et blanc que la génération Sarko n'emploie plus, où chaque mot est pesé, sans laisser vibrer la moindre spontanéité. Hors caméra, presque instantanément Chirac retrouve ses couleurs, sans perdre son mystère. Il repartira avec ses secrets, peut-être plus encore que François Mitterrand. Non-dits, silences assourdissants, regards lourds de sens, chagrins et fiertés mêlés.

Toujours aussi drôle, « Bernie » s'exclame en me quittant :

— Ah, Michel, ne vivez jamais avec un vieux !

Ce couple m'épatera toujours.

Quelques mois plus tard, tous ensemble, nous nous sommes retrouvés à dîner chez François Pinault pour fêter cette émission. Les Pinault avaient réuni Bernadette, Claude et son compagnon, le fils Pinault, François-Henri, et sa magnifique épouse l'actrice Salma Hayek. Le frère de Mme Pinault était également présent ainsi que Mgr Di Falco, ami du couple. Une dizaine de personnes pour un dîner amical – ce ne sont pas des convives que je reverrai tous les jours.

Juste avant le repas, Dany et moi avons été un peu surpris de voir Mgr Di Falco prononcer une courte prière « afin de remercier le Seigneur de cette belle table ». Chirac, qui avait sa Corona au frais, ne s'est pas formalisé, il connaissait la maison. À peine la prière dite, il a claqué des mains en me jetant un clin d'œil : « Bon, maintenant que le curé a fini avec ses prêchi-prêcha, on va enfin pouvoir manger ! »

Bernadette a levé les yeux au ciel. Cet homme irrésistible, direct, celui qui « déconne » avec son petit-fils Martin, plein de dérision, aucune caméra n'a jamais pu le saisir. Face à un objectif, Chirac a toujours perdu près de soixante dix pour cent de son naturel, ce qu'il reconnaît d'ailleurs : « La télé ne sera jamais mon truc. » François Mitterrand le disait aussi.

Ravis de cette invitation, Dany et moi avions cependant un léger souci. Quand on est convié chez des hôtes comptant parmi les plus grosses fortunes de France, une question se pose forcément : Qu'est-ce que je vais bien pouvoir leur apporter ? C'est vrai. Aux riches, personne n'offre rien. Puisqu'ils ont tout, tout paraît ridicule. Comment arriver avec un château-latour chez quelqu'un qui possède le vignoble ? Chez Lagardère ou LVMH, le bouquet de fleurs est d'une affligeante banalité. Dilemme. Aux Chirac, j'ai donc offert un agrandissement encadré du Président avec son petit-fils Martin et à leurs amis Pinault celui de tout le clan réuni dans les jardins Gabriel. J'ai fait un tabac. Ils ont ouvert leurs paquets comme des enfants, comme si j'offrais un Giacometti à l'homme qui possède l'une des plus belles collections d'art contemporain au monde. Bon, sans doute les Pinault savent-ils se montrer bien élevés, mais je crois qu'ils étaient sincèrement ravis. Les gens puissants passent souvent leur temps à essayer de réduire la distance abyssale qui les sépare des autres. Je connais peu d'hommes – bien qu'il soit lui aussi un anxieux – plus naturels dans les rapport humains que François Pinault. Chez lui, rien d'outrancier ou de prétentieux; à un tel stade de pouvoir et de richesse, à quoi bon? Les Pinault sont d'anciens pauvres qui ne sont pas devenus des nouveaux riches. Quant à Jacques Chirac, pendant des années il a été si discret sur son « bagage » (mot qu'aimait tant ma mère) que le landernau journalistique l'a long-temps considéré inculte. Sans doute moins esthète que Pompidou, normalien et historien, moins cultivé que Mitterrand, le plus littéraire de tous, en réalité Chirac a une réelle érudition, notamment celle des arts premiers, passion longtemps restée secrète. Georges Pompidou nous a laissé avec Beaubourg, l'usine à gaz de l'art moderne, Giscard le musée d'Orsay, Mitterrand une drôle de Pyramide, Chirac un Musée des arts premiers auquel personne, sinon lui, n'aurait pensé. Que nous laissera Nicolas Sarkozy, sur le plan culturel?

À table, Jacques Chirac, distrait, joue avec son nouveau chien à ses pieds. « Ils ne se quittent plus », m'a confié Bernadette. C'est vrai. « Sumo est devenu Sumette… », glisse Chirac, goguenard. Mais en lui grattant la tête, il soupire : « Elle pisse encore partout… » Nul besoin de le titiller, il se brocarde très bien lui-même. L'ambiance est joyeuse. Et pour la relancer le couple Chirac a un dada, surtout Bernadette, en fait : rire de Valéry Giscard d'Estaing. Rien ne les enchante davantage que d'avoir vu le même dimanche, mais en après-midi, apparaître Giscard pour une romance bluette avec Lady Di dont beaucoup se moquent et dont les ventes en librairie n'atteignent pas le dixième, le centième, même, de celles des Mémoires de Chirac. D'ailleurs Giscard a bien flairé l'embarras de la situation. Trois jours avant l'émission, il m'a appelé.

— Bernard Fixot, mon gendre et mon éditeur, m'a dit que c'est une excellente idée que je vienne chez vous, je n'ai pas parlé de ce roman sur une grande chaîne et vous savez que je vous aime beaucoup… Mais quelque chose me chiffonne à propos de…

— … À propos de Jacques Chirac, monsieur le président ?

— En effet…

— Oui, Jacques Chirac viendra pour ses Mémoires entre dix-neuf heures et vingt heures, dans le créneau de « Vivement Dimanche Prochain ».

— Mais on n'entend que cela, ses Mémoiiires !…

— Vous, vous venez l'après-midi.

— Oui, c'est cela. Dans l'émission que vous avez intitulée « Ils ont quatre fois vingt ans ». Moi, je ne le dirai pas, je vous ferai une surprise pendant l'émission en disant que nous avons huit fois dix ans ! La vie se compte par décennie.

— Monsieur le président, c'est exactement ce que disait mon frère.

— ... Dites, ne trouvez-vous pas cocasse – vous connaissant, j'ose espérer que ce n'est qu'une coïncidence – que vous m'invitiez précisément le jour où vous recevez Chirac ?

— C'est le calendrier.

— Et de quoi allez-vous donc parler avec lui ?

— Eh bien... de ses Mémoires.

— Mais il n'en a pas, de mémoire !... Est-ce que vous allez lui demander comment il a menti pendant quinze ans ?

— Non, je ne crois pas. Ce n'est pas le sujet.

— En tout cas, j'espère que vous ne parlerez pas de môa.

— Ce n'est pas le sujet non plus.

— Parce que môa, je ne parlerai pas de lui.

Ces chicanes enchantent les Chirac. À table, Bernadette insiste, elle veut absolument que je raconte l'histoire... des labradors de Buckingham.

— Mais vous la connaissez, je l'ai déjà racontée !

— Je suis sûre que les Pinault ne la connaissent pas... Michel, allons, c'est tellement drôle. Ah, écoutez tous, Michel va nous faire rire avec les chiens de Giscard !

Je me mets donc à raconter comment, lors d'une émission, Valéry Giscard d'Estaing, avec sa diction si facilement imitable, nous a fait une démonstration du dressage de son jeune labrador offert par la reine d'Angleterre. Dans son château de l'Étoile, propriété d'Anne-Aymone en Touraine, Valéry est assis, le chien courant autour de nous. Le Président l'a appelé en français, le chien a réagi assez mollement. Alors, très sérieux, son maître nous a déclaré :

— Je vais l'appeler en anglais, ce sera plus efficace puisqu'il vient de Buckingham. Vous allez voir...

Prenant un temps, bougeant à peine la main, Giscard a recommencé, avec l'accent chuintant.

— *Come on, naughty boy...*

Et le chien est arrivé en frétillant. Le cameraman, médusé, en a raté sa prise.

— On peut la refaire, monsieur le président ?

— Bien entendu.

Le chien est allé remuer la queue à trois mètres, et Giscard a relancé :

— *Come on, naughty boy, again...*

Chaque fois, Bernadette en pleure de rire. Et toute la table avec elle, sauf Jacques Chirac qui feint l'embarras.

— Qu'est-ce qu'il a encore, Giscard ? Ah non, vous ne devriez pas vous moquer, il est ce qu'il est, un esprit brillant, quelqu'un de respectable...

Et Bernadette :

— Oh, voyons, Jacques ! Vous n'en pensez pas un traître mot. C'est une teigne, vous l'allumez dans votre livre !

C'était reparti. Les Chirac sont épatants. Le Président a fini par conclure :

— Si Giscard s'est étonné d'être invité l'après-midi avec les octogénaires et moi seul le soir, vous n'aviez qu'à lui dire la vérité : c'est parce que je suis plus jeune !

J'ai ri avec eux sans préciser d'autres souvenirs. Lors de son « Vivement Dimanche », voilà dix ans, en préparant l'émission, déjà, Valéry Giscard d'Estaing avait émis un verdict définitif en coulisses sur son ex-Premier ministre devant toute l'équipe stupéfaite.

— Un jour, ça finira chez le juge. Un jour, vous verrez, il aura le juge à huit heures et demie devant sa porte.

Valéry Giscard d'Estaing n'a évidemment jamais pardonné la terrible addition qui prouve que, s'il a été battu par François Mitterrand en 1981, c'est grâce à des voix de droite, selon la consigne du patron du RPR de l'époque.

Le 29 novembre, en après-midi, dans « Vivement Dimanche », comme il me l'avait annoncé, Valéry Giscard d'Estaing n'a pas dit un mot sur Jacques Chirac. En soirée, Jacques Chirac n'en a pas dit un seul non plus sur Valéry Giscard d'Estaing. De toute façon, Jacques Chirac ne persifle pas. Jamais vous ne le verrez émettre publiquement une critique contre la politique de Nicolas Sarkozy. Il se tient à sa promesse de ne commenter aucun bilan, ceux de ses prédécesseurs pas plus que celui de son successeur, obéissant ainsi au devoir de réserve traditionnel dans la Vᵉ République. Et pour moi il restera le président de la République qui a su rompre avec une tradition aveugle, le 16 juillet 1995. Ce jour-là, commémorant la rafle du Vél' d'hiv, Jacques Chirac a reconnu la responsabilité de l'État français dans la collaboration et ses abominations, comme il a tenu à ce que soit célébrée chaque 10 mai l'abolition de l'esclavage et de toutes les traites négrières. D'autres n'avaient pas su.

Quand nous nous sommes quittés devant le pavillon Gabriel, il m'a glissé :

— Michel... vous m'appelez pour qu'on déjeune.

J'ai compris qu'il avait du temps maintenant.

Tout le temps.

Les trois Simone

Chez nous, au temps des culottes courtes et des sacs de billes, un temps où je n'avais pas la moindre notion de conscience politique, j'entendais parler de Pierre Mendès France, des époux Aubrac, de Jean Moulin… Quand, à dix-sept ans, Jean est parti avec Françoise Sagan et Régis Debray en voyage à Cuba, Che Guevara et Fidel Castro firent irruption dans la famille. Puis François Mitterrand et Jacques Delors. Pour moi, toutes ces figures n'étaient que des pages de *Paris Match*, des cousins de Richard Anthony et des Platters.

Chez nos parents, autour de la table à l'heure des repas, j'ai toujours vu planer les ombres gigantesques et bienveillantes de ceux qu'ils admiraient et dont je ne mesurais pas la valeur. Un héros, un leader ou un poète, comme une chanteuse, un champion faisaient partie d'un monde lointain. Toutes les formes de gloire se résumaient à quelques images d'actualité. Et pourtant, je crois que ce sont encore Abraham et Lola qui m'auront donné la faculté d'admirer.

À quinze ans, collé chaque week-end dans une boîte à bac de Honfleur, je me souviens de ce jour où, au pied de La Lieutenance, j'ai remarqué un homme, sans cheveux, que les passants accostaient pour lui faire signer un morceau de papier. Pour la première fois, je voyais quelqu'un demander un autographe.

— Qui c'est ?

— C'est Yul Brynner.

J'entendais parler de Yves Montand aussi, un peu, parce qu'il venait parfois à Honfleur ou au casino à Deauville. Les planches ne m'intéressaient pas tellement, je préférais Villerville, la plage, la mer. Observer tout le monde et n'importe qui. Comme Jacques Tati – bien que je ne sache pas encore qui était Jacques Tati.

Toujours à Honfleur, sur la côte de Grâce, je revois notre professeur de gym s'arrêter soudain devant une maison pour nous dire, presque à voix basse :

— Henri Jeanson habite ici, c'est un très grand dialoguiste.

Ce nom ne signifiait rien pour moi et pourtant je me le rappelle. Mon premier nom célèbre. Comme d'avoir reçu une lettre, beaucoup plus tard, longtemps après être entré à la télévision : « Vous avez parlé d'*Hôtel du nord*, dialogué par Henri Jeanson... Je suis Mme Henri Jeanson.

J'habitais sur la côte de Grâce avec mon mari et vous étiez sans doute dans ce petit groupe d'élèves collés le dimanche que je me souviens avoir souvent vu passer devant notre maison pour aller faire du sport ».

Entre-temps, j'avais appris à connaître Jeanson. Aujourd'hui pas une semaine ne passe sans que je cite un de ses meilleurs bons mots (jailli lors d'une conversation avec Michel Audiard et Lino Ventura) sur l'hypocrisie et les faux culs : « Regardez-le bien, à ce stade c'est de la franchise. »

Dans ce panthéon familial qui m'a mené de mon enfance à mes débuts professionnels régnait un trio de femmes. Trois Simone. Contre toute attente, j'ai fini par les recevoir dans ma vie télévisuelle avec un pincement dont elles ne pouvaient pas connaître la cause. Mon sentiment d'admiration a commencé avec elles – parce que mes parents les vénéraient – avant de se mêler à la peur de ne pas être à leur hauteur. Ces trois femmes, si floues et si grandes dans mon enfance, je dois avouer qu'ensuite elles m'ont toujours fait peur. Sous le respect, les trois Simone m'inspirent encore une frousse carabinée.

Nous sommes en 1979 et ma mère est stupéfaite.

— Dis donc, le rédacteur en chef de *Télé 7 Jours* va un peu loin : il annonce Simone de Beauvoir dans « Les Rendez-Vous du dimanche ».

— C'est une erreur, à ton avis?

— Tu ne peux pas recevoir Simone de Beauvoir, tu ne reçois que des chanteurs.

— Maman, c'est elle qui a souhaité faire l'émission.

— J'imagine bien que ce n'est pas une idée de toi... Pourquoi pas Jean-Paul Sartre, tant qu'on y est!

— C'est précisément le sujet, à l'occasion du film de Malka Ribovska et Josée Dayan [1] sur Sartre et Beauvoir.

— Mais qu'est-ce que tu vas lui dire?

— Comme d'habitude, je vais travailler.

Déjà maman s'était précipitée sur le téléphone pour appeler ses copines de gauche, avant de joindre Jean.

— Tu connais la nouvelle, Michou reçoit Simone de Beauvoir!

L'air de dire, Jeannot, si tu n'interviens pas immédiatement, nous allons à la catastrophe. Les Drucker vont se couvrir de ridicule aux yeux de la France entière...

Ma mère considérait que seul un Pivot ou un Chancel pouvaient recevoir une telle personnalité. Pour elle, une émission culturelle ne pouvait être assurée que par un homme du sérail, lecteur assidu des grandes œuvres, etc. N'ayant rien lu dans ma jeunesse, ma situation ne lui paraissait pas pouvoir

---

1. *Simone de Beauvoir*, documentaire, 1979.

évoluer. J'étais pourtant persuadé que Bernard Pivot n'avait pas non plus passé ses jeunes années plongé dans *L'Être et le Néant*. Passionné de foot et de bons vins, il avait commencé sa carrière comme journaliste au *Progrès* de Lyon, pas chez Gallimard ! En fait, il aura même été le premier, loin des ghettos, à faire connaître la littérature au grand public. Je me sentais prêt, modestement, à suivre ses traces entre deux soupirs affolés de maman. Et je suis allé donc aller sonner, rue Victor-Schœlcher dans le xive arrondissement, chez Simone de Beauvoir.

J'ai pris des tonnes de notes. Lu et relu *Le Deuxième Sexe*, *Les Mémoires d'une jeune fille rangée*, *Les Mains sales* et *La Nausée*. Mal dormi. Mal mangé. Re-relu mes notes. Et finalement elle est venue. À petits pas, avec son turban, son port de reine et ses phrases aussi sèches qu'une gifle. Sa politesse et sa diction ne s'embarrassaient pas de fioritures. Mme de Beauvoir vous disait ce qu'elle pensait avec le naturel d'une patronne d'orphelinat.

— Je ne veux pas avoir des chanteurs sur le plateau, ils me déconcentreraient.

Elle avait une manière de dire « chanteur » encore pire que celle de ma mère.

— Bien, madame.

Exit la variété, même si elle s'appelait Juliette Gréco et Mouloudji. Toutes les chansons prévues, nous les avons lancées ensemble, sans les écouter, elles furent ajoutées au montage. Et nous avons dialogué sans interruption pendant plus d'une heure.

L'émission s'est bien passée.

J'ai passé une tête, soulagé, dans la loge où on la démaquillait. Et j'avoue avoir manifesté un poil de provocation.

— Vous savez, madame, si vous aviez été mon professeur nous ne nous serions pas croisés beaucoup car je n'étais pas un bon élève. Or j'ai lu que lorsque vous enseigniez la philosophie au Havre, il n'y avait que les premiers de la classe qui vous intéressaient.

Elle m'a regardé, un sourire est venu éclairer son beau visage.

— Ce que vous avez fait n'était pas déshonorant.

C'était à la fois son compliment et le coup de massue final.

Quelques jours plus tard, j'ai reçu un mot cordial de sa part. Malka Ribovska m'a assuré qu'elle avait dû être sincèrement ravie de l'expérience pour m'adresser quelques lignes. Je me souviens l'avoir même eue au téléphone, franchement chaleureuse.

— ... Je dois vous avouer une chose tordante qui va vous amuser. Ma bouchère, chez qui je vais depuis vingt-cinq ans, m'a dit : « Je vous ai vue à la télévision hier, alors madame de Beauvoir, je vous offre les côtelettes ! »... Oui, grâce à vous, j'ai eu des côtelettes gratuites.

L'impact du petit écran, selon elle instrument de propagande giscardienne, l'avait épatée. Et son escapade dans la compromission populaire, satisfaite. Le distributeur du film m'a confié avoir pu le faire projeter dans bien plus de salles qu'il ne s'y attendait.

— Alors, il suffit de passer de chez vous pour être célèbre, a conclu le Castor.

Je ne l'ai plus jamais revue.

Avant de la retrouver, voici quelques années, toute nue, de dos, à la une du *Nouvel Observateur* – une photo intime prise par son amant américain pendant sa toilette. Elle qui ne voulait pas être vue sans son turban, on l'a vue de dos sans sa culotte. Je me demande ce qu'elle en aurait pensé. Quant à maman, si elle avait vu ça, sûr qu'elle aurait résilié son abonnement sur-le-champ.

Sans le savoir, après l'émission, ma mère avait été au diapason de la grande écrivaine.

— Tu ne t'en es pas trop mal tiré.

Ma conclusion personnelle est que Simone de Beauvoir et son entourage ne m'ont pas donné une folle envie de me précipiter pour renouveler l'expérience. La preuve, j'ai mis trente ans à y revenir...

J'avais quarante ans, j'en paraissais trente, quand la deuxième Simone est entrée de plein fouet dans mon existence. Je la connaissais pour l'avoir interviewée sur quelques tournages, elle se faisait presque aussi rare à la télévision que Simone de Beauvoir et la jugeait avec aussi peu d'indulgence. Dans les années 1970 et 1980, cette Simone-là jouissait d'un prestige encore plus grand – comme aucune personnalité n'en a plus aujourd'hui. Sans excès, on peut affirmer que Simone Signoret avait l'aura d'un chef d'État. Par chance elle m'aimait bien, mais je n'appartenais pas à son cercle dont les fidèles se nommaient Jorge Semprun, Bernard Kouchner, Ivan Levaï ou Costa-Gavras. On surnommait son salon, place Dauphine, « la Roulotte ». Le plus souvent, pour la voir, il fallait se déplacer, aller dans son décor, avec sa cour, comme on va visiter une souveraine. Elle y vivait avec Montand. Ivo Livi, ex-docker de Marseille, le prolo du *Salaire de la peur* mis sur orbite par Édith Piaf, dont le répertoire avait conquis le monde entier. Depuis leur voyage de 1956 en URSS, dont ils étaient revenus en donnant l'impression d'avoir découvert le pot aux roses, ils avaient atteint le statut de couple mythique, statut dont ils jouissaient pleinement. En fait, le duo, vingt ans durant, distribua bons et mauvais points.

Dans le couple, l'intello c'était Simone. Elle qui fit de Montand une référence en l'amenant à la politique. Tous deux auront été une des causes principales des engueulades avec ma mère. Maman idolâtrait Montand, avec sa tendance à prendre pour des penseurs des personnages que je trouvais un peu cabots. Je ne me gênais pas pour le lui dire.

— Signoret, c'est le prompteur de Montand, maman !

Elle le voyait carrément président – je crois que la chose a bien failli se faire. Le jour où *Le Nouvel Observateur* a titré à la une « Montand Président », avec l'acteur ceint d'une écharpe tricolore, elle en a acheté trois exemplaires, avant de m'agiter la couverture sous le nez, triomphalement.

— Ah, tu vois !

Le même phénomène s'est reproduit dix ans plus tard avec Bernard Tapie, toujours à la une du *Nouvel Obs*, sans déchaîner chez elle le même enthousiasme.

Ma vérité à moi est que le couple Signoret-Montand… me terrifiait. Ils détestaient la télévision, outil d'abêtissement à la solde du Général, de Pompidou, de Giscard. En 1978, effectivement, nous sommes en pleine télévision giscardienne quand soudain l'étendard de la Roulotte va se déployer au-dessus de l'Argentine. Simone Signoret pétitionne à juste titre contre la dictature de la junte. À l'époque, des milliers de femmes bouleversent le monde entier en tournant place de Mai à Buenos Aires pour réclamer des nouvelles de leurs maris et de leurs fils disparus. C'est dans ce contexte que s'annonce la Coupe du monde de football en Argentine. J'avais commenté celles du Mexique en 1970 et d'Allemagne en 1974, je m'apprêtais à refaire mes valises pour l'Amérique du Sud. Michel Platini est le jeune capitaine d'une équipe de France prometteuse avec des joueurs comme Marius Trésor, Dominique Bathenay ou « l'Ange vert » Rocheteau, deux décennies avant les Bleus de Zidane.

Signoret et Montand avaient de l'estime pour mes émissions – une chance. Quoique cette estime ne soit pas sans conséquence. L'époque n'était pas au portable – une autre chance – et presque chaque fin de semaine, en rentrant chez moi, j'avais leurs messages sur mon répondeur. Ils me laissaient encouragements et bons ou mauvais points.

— Allô, fils ! C'est Montand... Bien, bien... Bien, cet après-midi ! Mais pas démago, fils. On reste digne, digne !

Avec l'accent du Papet de *Manon des sources*.

— Drucker, c'est Signoret. Très bien, mais Michel, n'oubliez pas : tirez vers le haut. Le haut !

Quand j'étais chez moi, je décrochais.

— Bonsoir, madame.

Au début, je crois bien que je l'appelais madame.

— D'accord, madame, on tire vers le haut.

— Toujours !

Et elle raccrochait sans me laisser le temps de dire ni ouf ni merci. Hélas, quelquefois, j'écopais d'un zéro et d'un message tonitruant, la voix de Montand jaillissant du répondeur me collait au mur. Il jouait toujours un rôle, sur scène, devant une caméra, dans la vie. Et sur mon répondeur.

En ce jour de 1978, je trouve un message de Simone Signoret encore plus solennel que d'ordinaire.

— Drucker, c'est Signoret, rappelez-moi tout de suite.

Une urgence? Tout de suite je rappelle.

— Venez me voir à la Roulotte, hein? vite.

Le soir même, j'y cours. Il y régnait une ambiance club de la pensée de gauche avec un cénacle d'habitués; je me souviens ce soir-là de José Artur, François Périer, Ivan Levaï... La terre entière passait chez eux refaire le monde. En quelque sorte, ils étaient en train de prendre la relève de Sartre et Beauvoir, en déplaçant le curseur vers la société du spectacle. Ils brocardaient la télévision sans y aller beaucoup – Montand se rattrapera par la suite –, leur participation à un programme constituait un événement.

Au salon, disposé comme un tribunal, le clan avait l'air de m'attendre. Soudain, j'allais incarner à moi seul cette télévision à la botte. Et au milieu du tribunal trônait Simone, égérie du comité central.

— Voilà ce que nous avons décidé...

— ...

— Nous voulons, et j'en serai la porte-parole, aller dans votre émission demander solennellement, en direct... Vous êtes en direct, au moins?

— Nous ne sommes pas en direct, le dimanche c'est compliqué d'être...

— Eh bien, vous ferez comme si c'était du direct.

— Nous tournons dans les conditions du...

— Et vous ne me couperez pas...

— Bien sûr que non, chère Simone.

— En direct, je m'adresserai à Michel Platini et à toute l'équipe de France pour leur demander...

Dans la Roulotte, les mouches volaient.

— ... pour leur demander de ne PAS aller jouer la Coupe du monde en Argentine, évidemment.

— ... Très bien, mad... Simone.

Sans être spécialiste de la vie diplomatique, j'ai tout de suite saisi ce que cette idée avait d'énorme. Je m'imaginais en plein « Rendez-vous du dimanche » faire entrer Simone Signoret pour une telle annonce. Non, en fait, je n'imaginais rien. Rien qu'un blanc, avec l'écho vertigineux de la voix de Signoret. J'ai beau chercher un équivalent aujourd'hui, je n'en trouve aucun. Lors de la polémique à propos des jeux Olympiques de Pékin en Chine, aucune célébrité n'a pu générer le dixième d'un tel effet d'annonce.

La grande actrice poursuit, avec toute la scène en tête.

— C'est simple, j'entrerai, je viendrai m'asseoir à côté de vous et je m'adresserai à Michel Platini.

— Bien sûr, Simone.

En homme de télévision, je vois aussi très bien combien cet appel aura de la gueule.

L'embarrassant – et j'aimais trop le foot pour ne pas y penser – c'est qu'en 1978 la France renoue enfin avec le Mondial, auquel elle n'a plus participé depuis 1966. Tous les supporters veulent voir les Bleus en Argentine. Sauf Simone Signoret, qui pas une seconde n'imagine que je puisse esquiver.

— A priori d'accord... mais enfin je...

Sa voix se fait rassurante.

— Ce que nous vous demandons n'est pas habituel, et réclame du courage, vous êtes le seul à qui nous puissions demander ça.

— J'en suis très flatté.

À toute vitesse, le film continue de défiler dans ma tête. Comment j'opère avec la chaîne ? À l'ORTF ne règne pas la même ambiance que dans la Roulotte. Et si je passe outre ? Envoyer la cassette à la diffusion sans prévenir la direction me paraît impossible. Mais si je la préviens et qu'elle refuse cette initiative, j'aurai l'air de quoi devant Montand et Signoret ? Et le ministère des Affaires étrangères, l'ambassade de France à Buenos Aires ? Les joueurs ? La cascade de retombées ? Tout en partageant leur aversion pour la junte, sans entrer dans le débat de savoir si le boycott est un mode de contestation utile, je ne peux pas prendre la responsabilité d'ouvrir l'antenne publique à une prise de parole militante et somme toute personnelle. Mais c'était Signoret. C'était Simone, qui me regardait l'air de dire : « On s'est compris, alors convenons d'une date. »

— Dimanche prochain, vous recevez qui ?

— Charles Aznavour.

— Aznavour, eh bien, c'est parfait !

L'idée de solliciter l'accord de Charles ne l'a pas effleurée. Quand je revis tous ces moments, au fil de ce livre, je me demande comment mon estomac fonctionne encore. D'autant que j'ai eu tort de me faire de la bile. À ma grande surprise, sans guère de résistance, la chaîne publique a accepté. La réponse est redescendue très vite : « On le fait. » J'imagine qu'aujourd'hui vingt-cinq conseillers de la présidence entreraient dans la danse, à l'époque la décision ne prit qu'une journée. Devant Montand et Signoret, les instances dirigeantes ne se sentaient plus prêtes à diriger grand-chose. Carte blanche.

Au fond, j'étais heureux de le faire et prêt à suivre un boycott de l'Argentine. La reine dans sa Roulotte, de son regard franc et de sa belle voix justicière m'avait emballé. On aimait obéir à Casque d'Or, et l'horreur du général Videla et autres colonels l'emportait sur mon amour du ballon rond. Enfin c'était l'occasion pour moi de toucher un domaine interdit. Soyons juste, un certain idéal entrait toujours dans une mobilisation Signoret-Montand.

La semaine suivante, l'enregistrement suit son cours normal, quand, à dix minutes de la fin, face caméra, après avoir remercié Charles Aznavour, j'annonce :

— Maintenant, je voudrais passer la parole à Simone Signoret qui a une communication importante à vous faire. Elle nous a demandé quelques minutes d'antenne, nous les lui donnons.

Elle est entrée, dans un de ses confortables ensembles noir et blanc, avec sa grosse paire de lunettes et un papier à la main. Elle s'est assise et a demandé à Michel Platini et à toute son équipe, devant des millions de téléspectateurs, de boycotter la Coupe du monde de football. La bande a été visionnée et diffusée telle quelle.

Son appel est resté sans réponse. Malgré la vague de réactions. Concrètement, il n'a servi à rien mais sur le fond, qui sait, il est allé rejoindre les centaines de gestes, de petites et grandes prises de conscience, qui font que les choses évoluent et que les pires finissent un jour par disparaître.

Je suis parti pour l'Argentine suivre le ballon rond sur les pelouses de Buenos Aires, Mar del Plata, Mendoza... Quand nous relevions les yeux du micro, partout à travers le pays, les rues, les places et les hôtels, nous ne voyions rien. En vain nous cherchions des signes d'oppression. La dictature était passée maître dans l'art du camouflage. De la fenêtre de ma chambre d'hôtel, je ne voyais que les folles de Mai, intouchables, tourner doucement dans la nuit calme.

À partir de cette date, je suis entré dans le cercle. Je suis devenu fréquentable, statut si agréable dans les années 1970 et qui allait le devenir de plus en plus avec l'arrivée de la gauche au pouvoir.

Je suis donc retourné à la Roulotte, et même à Auteuil au moment de la parution de son best-seller magnifique *La Nostalgie n'est plus ce qu'elle était*[1]. Je revois Simone, un peu voûtée, de plus en plus impressionnante. J'ai traversé les années les plus sombres de sa vie, au sens propre comme au figuré, où elle perdit presque entièrement la vue. Montand m'aimait bien aussi, je crois. Après la mort de Simone, il m'a présenté la jeune femme avec laquelle il avait refait sa vie. Et c'est sur le plateau de « Vivement Dimanche » que son fils Valentin, au côté de sa maman Carole, a fait sa première télévision.

Catherine Allégret aussi m'a présenté son fils, un gamin poupin qui ne savait pas très bien dans quelle voie se diriger. Il s'appelait Benjamin. Simone adorait son petit-fils. Françoise Coquet lui a fait faire des essais et nous l'avons engagé sur-le-champ comme chroniqueur chargé du cinéma dans « Studio Gabriel ». Grâce à lui, j'ai continué d'avoir des nouvelles du plus légendaire des couples français. Quand j'ai connu Simone Signoret, déjà, quelque chose en elle avait été détruit mais elle survivait. J'ai trouvé à la fois terrible et courageuse cette phrase de Montand, après sa mort : « Ce n'est pas facile de s'endormir

---

1. Paru aux Éditions du Seuil en 1978.

118

avec Casque d'Or et de se réveiller avec Madame Rosa ». Ces mots-là, je ne les ai jamais oubliés.

En 1984, quand je suis entré à Europe 1, embauché par Jean-Luc Lagardère, j'ai voulu présenter « Le Podium Europe 1 », tout l'été. Un barnum itinérant à travers quarante-cinq villes de France, une star chaque semaine et un spectacle quotidien gratuit pour dix milles personnes. Ma loge était celle que venait de quitter Montand à la fin de sa tournée. Dans un des tiroirs j'ai décou-vert plein de petits bouts de papiers, dans presque toutes les langues. Des repères, des pense-bête. Une méthode mnémotechnique. Des expressions en anglais, en japonais, des enchaînements pour passer de « Battling Joe » aux « Feuilles mortes ». Ce perfectionniste à claquettes, sur n'importe quelle scène comme chez lui, avait appris toutes ses transitions au mot et à l'accent près.

Je les ai gardés longtemps, ces bouts de papier.

J'ai dû être un des premiers du métier à qui Benjamin Castaldi a confié qu'il écrivait un livre pour évoquer ses grands-parents. Cet hom-mage où quelques lignes finales ont déclenché un scandale.

Je partais pour une émission rejoindre Sylvie Vartan et sa maman à Los Angeles quand il m'a donné son manuscrit ; personne ne l'avait encore lu.

Plus j'avançais dans les pages, annotant les marges, plus je songeais qu'une émission à l'occasion de sa sortie devenait impossible. Ce livre, très personnel, pas complaisant, s'achevait en levant le voile sur les souvenirs douloureux de sa maman Catherine. Ce fut une bombe.

Mon rêve d'un hommage familial à un couple mythique, regroupant toute une « tribu » dans son sillage, s'envolait. Plus jamais on ne pourrait réunir les protagonistes d'Auteuil et de la Roulotte. J'ai essayé, vainement. Très vite, j'ai dû appeler Catherine Allégret. Costa-Gavras, Levaï, Kouchner et Semprun, tout le clan se désistait. Aucun ne viendrait. Ils préféraient rester soudés autour d'un souvenir digne de Yves Montand.

Elle m'a dit : « Je comprends. »

Benjamin a compris aussi.

L'hommage n'a jamais eu lieu.

Mais il ne faut jamais désespérer. Le 30 septembre 2010, vingt-cinquième anniversaire de sa mort, à défaut de rendre hommage au couple tout un dimanche, j'inviterai Benjamin pour saluer enfin Simone Signoret.

Enfin, à la pointe du trio, reste la dernière Simone. Celle que mes parents plaçaient au sommet du Panthéon. Simone Veil. La première chose qui m'ait frappé est sa beauté. Et c'est par cette femme que je trouvais si belle que j'ai compris – compris vraiment – ce que cela pouvait

Mon modèle, ma référence,
mon frère Jean.

Depuis sa disparition,
je suis devenu le chef
du clan.
Pour les fêtes de fin
d'année 2009,
Paris Match avait réuni
en couverture les femmes
de ma vie.
De gauche à droite :
Marie, Yleng, Dany,
Stéfanie, Léa.
Au premier plan : Rebecca.

Jean à un an.
Maman m'a dit qu'il faisait
déjà des cauchemars.

Jacky, Jeannot et Michou.
La photo préférée de maman.
Elle était si fière de ses pulls.

1974. Costume trois-pièces
avec gilet; Jean est déjà
dans la peau d'un patron.
Moi, la cravate viendra
plus tard, à la demande
insistante des parents.

Jean Seberg, l'égérie
d'*À bout de souffle*,
film-culte de Jean.
Notre père est sous
le charme…

1969. Sur cette photo,
mon père est fatigué.
Il vient de se faire opérer
d'un cancer, à Tours.

Au côté d'Abraham et
de Jean, le cousin Martin,
le seul membre de la famille
Drucker qu'il nous reste.

Lola Drucker et ses trois fils.
Le dîner agité du dimanche
chez maman se terminait
le plus souvent par une photo
de réconciliation.

Fin des années 1980.
En Normandie avec mon frère
Jacques.
Le début de mes années vélo.

Toujours la Normandie.
Seule et unique photo
de Dany à bicyclette.
Durée de l'exploit:
250 mètres.

1975. Près de Forges-les-Eaux,
la maison du bonheur
et des beaux dimanches.

12 mars 1973.
Le mariage de Jean
et Véronique, la maman
de Marie, à la mairie du VIIᵉ.
Dany et moi sommes leurs
témoins… à l'insu des parents.

Baptême de l'air pour Jacques,
sa femme Maryam (à droite)
et leurs filles Eva et Camille.

1972. Je suis fier d'être
le nouveau papa de Stéfanie.

Toute Léa est dans ce sourire…

1993. Tournoi de tennis
de Bercy. Première sortie
officielle de Marie avec
son père et son oncle.

Ma garde rapprochée :
les Drucker girls !

Rebecca ma petite-fille et
Stéfanie ma fille.

Mes nièces Léa et Marie.

Vincent, le fils de Jean,
son dernier bonheur.
Bientôt je lui dirai
l'homme exceptionnel
qu'était son père et
combien il l'aimait.

Vincent a douze ans
aujourd'hui.
Le tennis est sa passion.
Chaque Noël, je lui offre
une raquette d'un
des champions de l'ATP.

être d'avoir à jamais tatoué sur le bras un numéro de matricule.

Mes parents, du fond de la Normandie, attendaient qu'elle devienne ministre presque comme ils l'auraient attendu d'un membre de la famille. Ils espéraient qu'un président la nomme enfin au gouvernement, voire qu'elle soit candidate à la présidentielle.

L'Histoire les aura à moitié exaucés.

Simone Veil, pour mes parents comme pour tant de gens, représentait la rescapée des camps, celle qui fit avancer la cause des femmes, un phare, un modèle, une certaine morale et une assez haute idée de la politique. Avec cette classe naturelle qu'aimait tant ma mère. Et une douleur encore, dont ils ne disaient rien. Comme elle. Cette douleur des survivants.

En 2007, j'ai eu le plaisir de réunir autour d'elle sa famille et ses proches pour un dimanche après-midi qui a correspondu au sommet de sa vie. Elle venait d'écrire *Une vie*[1], qui a connu un succès retentissant. Antoine Veil, son mari, toujours très en verve, m'avait donné pour l'émission un conseil rieur, qui m'avait laissé perplexe : « Michel, n'ayez pas peur de la bousculer un peu, faites la rire ! »

En télé, je l'ai attendue pendant des années. Elle me répondait : « Tant que je suis membre du

---

1. Paru aux Éditions Stock en 2007.

Conseil constitutionnel, je ne peux pas. Mais quand je serai libérée de mon devoir de réserve, je viendrai. »

J'ai attendu près de six ans, je crois. Elle a tenu sa promesse. J'aurais été trop déçu de prolonger cette longue galerie des plus belles figures de notre époque sans elle.

Et puis elle était passée par le camp de Drancy, comme papa. Tout a été dit sur elle. Que pourrais-je ajouter ?

Une chose. Je suis tombé un jour sur un papier de Gérard Lefort dans *Libération*. Tout un portrait sur son regard : « Dans ces yeux-là ». J'ai tenu à le reproduire dans le cahier photo de ce livre et j'en remercie l'auteur. Tout est dans ce texte, encadré et accroché au mur de mon bureau avenue Gabriel ; presque chaque jour j'ai ce regard sous les yeux.

Mais, comme les autres Simone, elle m'intimide. Ces trois femmes, pour des raisons différentes, m'impressionnent à la vie à la mort. Quand je pense à Simone Signoret, revient l'appréhension de ses jugements. Pour Simone de Beauvoir, aussi. Quant à Simone Veil, son regard et sa présence rappellent à moi la mémoire d'un passé terrible.

Je ne m'en plains pas, au contraire. Cette peur face à ce trio de dames est comme un héritage, une transmission et un supplément d'âme dont je les remercie.

Itinéraire d'un enfant gâté?

Cette plage, la longue plage de Granville, ce ciel bas et gris, je les connais. Même si je n'y suis pas revenu depuis longtemps.

En août 2001, quand mon ami Jean-Paul Belmondo, Bébel, que rien ne semblait pouvoir abattre, quand cette force de la nature fut victime d'un grave accident vasculaire cérébral, le coup a été terrible. Pour lui, mais aussi pour ses proches. À la place de Bébel, notre copain solaire, soudain nous avons retrouvé un colosse aphasique, en fauteuil roulant.

Mes obsessions hypocondriaques m'ayant amené à connaître bien des disciplines de la médecine jusqu'à devenir un véritable dictionnaire médical ambulant, et parce que Jean-Paul est mon copain depuis cinquante ans, j'ai suivi sa convalescence. Grâce à Natty, sa compagne à l'époque, j'ai pris constamment de ses nouvelles. Sur son état physique et moral, puisque Jean-Paul, comme Jean, comme moi, comme tant de gens, ne dit presque jamais rien de lui. Après une hémiplégie, un rescapé court le risque de se replier sur lui-même, parce qu'il ne se reconnaît plus. La rééducation est une période cruciale. Après de longs mois d'efforts, ses médecins lui ont conseillé d'intégrer un centre que je connais bien, celui de Granville, un des plus performants de France, dirigé par le Dr Jean-Luc Isambert. Le traitement consiste en une immersion totale pour un combat acharné. Encore faut-il y aller et y rester, accepter de prendre sa place dans la longue galerie des infirmités. Prescription pas facile pour Bébel... Mais enfin, en cet automne 2001, j'emmène Jean-Paul, Natty et notre copain Daniel en hélico jusqu'au centre.

Dès l'entrée, je vois Jean-Paul blêmir. Dans le hall, partout, des éclopés circulent en béquilles ou en fauteuil. La sensation de douleur que suscitent même les meilleurs hôpitaux saute à la gorge, faisant oublier combien d'espoirs et de réparations ces lieux incarnent aussi. Mais Jean-Paul ne l'envisage pas du tout de cet œil-là. Il est mal. Nous aussi. Depuis leur fauteuil, d'un geste ralenti, des patients lui adressent quelques signes, au coin cafétéria un groupe donne même l'impression de ricaner. C'est un enfer. À peine entré dans l'ascenseur, Jean-Paul murmure quelque chose où je crois comprendre : « C'est pas gagné. »

Jamais je ne l'ai vu ainsi, un bloc : complètement verrouillé. Peut-être ferions-nous mieux de repartir tout de suite. C'est trop dur. Mais Natty et moi ne disons rien, mécaniquement nous continuons les formalités d'admission. À l'étage, les infirmières le dévisagent forcément avant de le faire entrer dans sa chambre. La fenêtre donne sur la plage du casino où si souvent je suis venu m'ennuyer enfant. La vie vous flanque parfois un de ces bourdons. La fenêtre est ouverte, Jean-Paul vient s'y coller. Debout sur sa canne, il fixe l'horizon avant de baisser la tête vers la digue en contrebas.

— Tu veux... tu veux que je te fasse ma dernière cascade.

Sans pouvoir le regarder, je détourne la tête. Je ne réponds pas, je sais, pour lui, pour sa guérison, qu'il lui faut coûte que coûte rester ici.

— Je reste... pas, tu me ramènes, me demande Jean-Paul, les yeux perdus.

Nous finissons de l'installer. Quand nous aurons terminé, peut-être que le plus dur sera fait, pour nous du moins. Mais lui? Natty continue de ranger ses affaires sans un mot pendant que j'entends Jean-Paul se murmurer à lui même : « Je peux pas rester ici. »

Le plafond, la fenêtre, les couloirs, le ciel, le temps, la vie, tout est affreux.

— Il y a la télé, tu vas pouvoir regarder le foot!

— C'est ça, c'est ça...

Aucune parole n'est possible. Je dois repartir si je veux pouvoir décoller avant la nuit. Natty va rester avec lui, chaque week-end elle reviendra. Ce soir-là, j'avoue avoir quitté mon vieux copain avec la sensation de fuir.

Au bout de quelques jours – Jean-Paul ne le saura jamais, ou seulement aujourd'hui s'il lit ce livre – j'ai appelé le Dr Isambert, comme je le ferai régulièrement. À ma stupeur, il m'annonce : « Dites donc, il se plaît drôlement, c'est même notre boute-en-train ! Il encourage tout le monde, plaisante avec les malades. Et toujours le premier dans la piscine ! Il se bat, vous savez, et il progresse énormément. »

Je suis abasourdi. Mais c'est tout Belmondo. L'idole du centre de rééducation de Granville comme il fut celle du Conservatoire d'art dramatique. Derrière son panache, sans une plainte, il bataille, il ne fait que cela : se battre. Souvent le soir, en rentrant chez moi, je pense à lui, là-bas à Granville. Comment fait-il devant la télévision, s'il tombe sur *À bout de souffle*, *L'Homme de Rio*, *Flic ou Voyou*, les films d'Henri Verneuil, si souvent rediffusés ? S'il voit Alain Delon, son rival d'hier ? Une des femmes splendides parmi toutes celles qu'il a connues ou ses copains du Conservatoire qui continuent à tourner, Rochefort, Marielle… Tant d'images peuvent lui faire mal. Tant de prouesses ont éclairé la vie de Bébel, la formule 1 et la boxe, le foot et le cyclisme depuis l'époque où nous nous tirions la bourre à Longchamp. N'importe quel film, n'importe quelle image de sport doit lui rappeler le bouffeur de vie qu'il a été…

Et pourtant. Son séjour à Granville a été un tel succès qu'il y est retourné.

L'été arrive. Je le vois régulièrement. Nous venons à parler de ce coin de Provence où j'ai ma maison. Comme chaque année, j'y passerai en famille l'essentiel des vacances. Là encore surgit un de ces hasards qui forme le destin : jeune, un des professeurs de théâtre de Jean-Paul qu'il admirait, Georges Le Roy, possédait une maison à… Eygalières ! Certains étés y venait aussi la troupe de Jean Vilar et Gérard Philipe. Et Jean-Paul y avait fait son premier stage de théâtre avec Jean-Pierre Marielle.

— Ah… j'aimerais bien… revoir Eygalières.
— Viens passer une semaine !
— Mon père Paul… s'inquiétait tellement pour moi.

Alors Jean-Paul est venu.

Le jour de son arrivée, nous sommes allés tourner un petit film devant le panneau d'Eygalières pour l'expédier à Jean-Pierre Marielle. Cinq jours durant, j'ai découvert le quotidien du handicap, cette prison de chaque jour, de chaque instant. Ne pas pouvoir s'habiller, se doucher,

127

manger, pisser seul, ne pas pouvoir lacer ses chaussures, se brosser les dents. Ne rien pouvoir vivre qu'assisté.

À travers la Provence, nous l'emmenons voir du pays, traverser les garrigues. Et je l'observe vivre. Nous le mettons à l'aise : « Jean-Paul, on fait comme tu veux, on sort ou on ne sort pas, on va se promener, déjeuner au restaurant si tu veux, voir les Baux, tu es chez toi. »

Le premier soir, il va dormir dans notre studio au bord de la piscine. Le lendemain j'appréhende le réveil, je voudrais tellement qu'il soit bien, qu'il se sente chez lui. Ça va. L'après-midi, la chaleur plafonne. Après déjeuner, l'heure est à la sieste derrière les volets clos. Jean-Paul va se reposer, j'en profite, sans qu'il me voie, pour suivre le Tour de France. Avec notre copain Daniel Bessaha, nous n'osons pas prendre nos vélos et nous présenter devant lui en cuissard et casque. À peine si j'ose nager – je ne veux rien faire de ce que Jean-Paul ne peut plus faire lui-même.

Le lendemain, mêmes fournaise et farniente. Le déjeuner fini, je mets le nez au-dehors, brûlant; et là, ahuris, Dany et moi voyons notre Jean-Paul allongé au bord de la piscine, en plein cagnard. Une folie, formellement interdite dans son état. Alarmés, nous courons l'avertir. Ouvrant à peine un œil, sans chapeau, Bébel nous fait :

— Tu sais que j'ai toujours aimé le soleil… et la vie est trop courte.

Rien à faire. Pas moyen de le décider à bouger. 40 °C sur la dalle. Panique. Nous nous précipitons vers Natty : « Il faut absolument faire quelque chose. » Elle soupire, navrée : « Il n'y a rien à faire, j'ai tout essayé. C'est comme ça chaque été pendant toutes les vacances. Quand nous sommes en Corse, Jean-Paul fait pareil : il n'aime que le soleil. »

Moi qui ne tiendrais pas cinq minutes sous une telle fournaise, quand lui y sommeille une plombe. Dans les Alpilles du mois d'août, c'est suicidaire, dangereux pour la coagulation, les vaisseaux... Qu'importe. Chaque jour après déjeuner, la mort dans l'âme, nous le suivons des yeux aller s'affaler sur la dalle aux heures blanches. Et je le regarde, je le regarde en plein soleil. Durant tout son séjour, je n'ai pas cessé de le regarder. Voir vivre Belmondo a changé quelque chose en moi. Cette force de la nature encore, cette confiance insouciante, presque d'enfant, malgré tout, cette endurance. Au fond, le gars têtu et rieur que j'avais connu n'a pas bougé. J'en suis à la fois impressionné et bouleversé.

Quand nous sortons, j'appréhende, j'appréhende tout, c'est ma nature. Nous allons faire quelques pas au village, lui avec sa canne et sans chapeau. À peine là-bas, bien sûr, villageois et vacanciers n'ont d'yeux que pour Bébel. Moi, je vois bien, je ne vois même que cela, que certains le fixent des pieds à la tête, qu'on le scrute avant de commenter à voix basse.

Pour moi, c'est l'angoisse. J'entends tous ces murmures, ces verdicts, parfois je perçois une curiosité malsaine et je redoute qu'il en soit blessé. À notre première sortie, je n'avais même qu'une idée en tête : comment va-t-il faire pour les autographes ? Ayant perdu sa main droite, il va biffer d'une croix ?

— Une photo, une photo, monsieur Belmondo !

— Ouaiiis.

À tous, imperturbable, Bébel répond : « Ouaiiiis... » Il acquiesce, se débrouille, salue, sourit, repart. En homme qui marche, en homme qui va, comme si de rien n'était. Peu à peu, dans les regards, je vois la tendresse remplacer la pitié et revenir cette très ancienne amitié, intacte, entre Lui et Eux, Bébel et Les Gens. À quel point il est aimé, intimement, malgré ses années de retrait, par tout un pays. Une affection vraie, pleine, palpable. On a tous en nous quelque chose de Belmondo. Quatre-vingts films, des pièces... Comme lui, les gens sont là, trente-cinq ans plus tard, tels qu'ils sont. De temps en temps, une dame lui glisse : « Mon mari, mon père a la même chose que vous, vous lui donnez une leçon de courage, il s'accroche depuis qu'il vous voit comme ça ! »

Je sens la solidarité du handicap, au côté d'un Bébel cuit et tanné qui balance « Ouaiiis », « C'est gentil », avec un total naturel. Dans ses ouaiiis, il y a tout. Jamais je ne l'ai vu se planquer ou se préparer à affronter les regards. Et pourtant, tout est devenu compliqué pour lui, d'une lenteur qui ne fut jamais son rythme. Au restaurant, on sait que la salle doit être de plain-pied pour qu'il puisse aller aux toilettes, le sol lisse, tout doit être anticipé, organisé, mais lui ne demande rien, ne dit rien, il vient, il suit, il avance. Entre deux soleils.

Au bout d'une petite semaine, il a quitté notre fournaise des Alpilles pour retrouver celle de Corse. J'ai fini mes vacances en souriant quand je pensais à lui, étendu sur le pont d'un bateau ou dans le sable. Et les mois ont passé.

Le cercle des amis de Jean-Paul se repasse les nouvelles, beaucoup m'interrogent. Philippe Labro m'appelle souvent : « Tu le vois ? — Oui, je l'ai au téléphone chaque semaine. Jean-Paul était chez moi cet été, dans le Midi. Et je le vois de temps en temps. »

Un beau matin, il épouse Natty. Il me fait savoir qu'il souhaite que je sois son témoin. Je suis donc allé signer le registre de ce mariage à la mairie du VIe arrondissement, témoin du marié avec Jean Rochefort. Belmondo rayonnait, arborant sa canne et son sourire insubmersible. Au même moment, nous avons eu la preuve qu'il ne s'agissait pas d'un mariage de raison, puisque Bébel a aussi fait à sa femme… un enfant. Ça, c'est toujours Jean-Paul. Quoi de plus naturel que de faire un enfant à la femme qu'on aime? Un peu surpris quand même, mais vite heureux, à soixante et onze ans, il a ouvert les bras à sa petite fille, Stella – l'étoile. L'œil goguenard, en m'annonçant la nouvelle, il s'est penché vers moi :

— Ben tu vois, je bande encore !

L'homme heureux, toujours. Nous avons fêté la double belle nouvelle d'un mariage et d'une naissance... Et les mois ont passé.

Un matin, Bertrand de Labbey, son agent, patron de Artmédia, m'appelle.

— Michel, toi qui le vois souvent, dis-moi, vraiment, il est comment ?

— Écoute, compte tenu d'où il vient, c'est un miracle. Il marche, il parle assez bien quand il n'est pas fatigué.

— Mais est-il capable d'un dialogue?

— Ça dépend de ce que vous lui proposez. Si c'est un texte plutôt laconique, un rôle statique...

Nous en restons là. De toute façon, des propositions sérieuses lui sont déjà parvenues qu'il a toutes refusées en bloc. Quand, soudain, j'apprends qu'il accepte enfin « quelque chose ». Jean-Paul Belmondo a vu le film de Vittorio de Sica *Umberto D.* et Francis Huster l'a convaincu de son projet de remake, qu'il veut appeler *Un homme et son chien*. Jean-Paul va tourner le film. Dans les milieux de la presse et du cinéma, la nouvelle fait l'effet d'une bombe. Les dates du tournage sont déjà arrêtées. Après avoir hésité, il a pris seul sa décision : Jean-Paul revient au cinéma. Huster me fait comprendre que le tournage sera à huis clos. Et, par un proche, l'acteur donne la consigne qu'il préférerait qu'aucun de ses amis ne vienne le voir tourner, personne. Ainsi nous signifie-t-il l'angoisse dont il ne nous parlera pas. À l'abri des quatre murs du studio, Belmondo se prépare en animal solitaire. D'ailleurs il ne renvoie plus mes appels. Jean-Paul n'appelle jamais le premier. Parce que c'est Belmondo, parce que c'est lui, la star. Durant toutes nos années d'amitié, c'est toujours moi qui ai dû l'appeler pour prendre de ses nouvelles.

Personne n'est donc allé au studio de Boulogne où le plateau a été bouclé pendant trois mois. Je n'ai pas voulu le déranger – sauf s'il m'avait proposé de venir. Il ne me l'a pas demandé. Quand même, parfois, au téléphone, je tombe sur sa voix.

— Comment ça va ?
— Ça va, ça va !

Premier jour. Il a surgi sur le tournage comme s'il l'avait quitté la veille, lui qui n'avait pas mis un pied sur un plateau de cinéma depuis dix ans. Francis Huster a eu la bonne idée de réunir quinze très bons acteurs pour lui donner la réplique, dans de tout petits rôles. Tous ont accepté : Françoise Fabian, Micheline Presle, Jean Dujardin, Daniel

Prévost, José Garcia, Michèle Bernier... Toutes générations confondues, chacun a fait une apparition pour un bout de scène, au coin d'une rue, dans un train. Jean-Paul en a été touché et ravi.

À l'approche de la sortie du film, je demande à Huster et à de Labbey :

— Pour la promotion, vous allez faire comment ?

— Il ne veut rien faire.

Huster assurerait donc la promotion, mais si j'envisageais quelque chose, autant essayer de le proposer à la star.

— Tu n'as qu'à l'appeler.

Je l'appelle : répondeur.

— Jean-Paul, c'est Michel, je suis à ta disposition. Je vais aller voir ton film et nous en parlerons.

En sortant de la projection, je le rappelle : répondeur.

— Jean-Paul, je viens de voir le film, bravo. Écoute, on pourrait faire un tête-à-tête... chez toi, au studio, ou en extérieur, dix minutes ou cinquante, ce que tu veux. Avec l'équipe du film, des extraits. Jean-Paul, si tu voulais bien, je te ferais du sur mesure. Tu peux me faire confiance.

Belmondo ne me répond pas. Il disparaît.

RTL devait accompagner la sortie du film. Son producteur Jean-Louis Livi, le neveu de Montand, le montre donc aux dirigeants de RTL, qui demandent naturellement à deux journalistes du service Culture d'assister à la projection. À peine sortis de la séance, trois mois avant la sortie prévue en janvier, ces deux « critiques » vont se fendre d'une chronique fracassante, du style « On n'a pas le droit de montrer Belmondo comme ça au cinéma. Ce n'est pas émouvant, c'est pathétique. Francis Huster n'avait pas le droit ».

Douche froide. Et surtout, verdict assassin vis-à-vis de Jean-Paul, à qui cela revient aux oreilles. À partir de ce moment, de longues semaines durant il va disparaître. Pratiquement personne n'a de ses nouvelles. Je ne l'ai plus du tout au téléphone. A priori, il ne fera rien. Personnellement, si le film n'est pas un chef-d'œuvre du septième art, la prestation de Jean-Paul, je la trouve belle. Elle ne me choque pas. Ce rôle, cet homme, c'est lui tel que je l'ai vu en vacances, ou à déjeuner. Mais je me suis fait à son handicap. Ce n'est plus un choc pour moi. Pour ceux qui le découvrent à l'écran, est-il trop violent ? Je me souviens de mon épouvante, les premières fois où j'ai revu Jean-Paul, de cette arrivée sinistre au centre de rééducation à Granville. La presse et le public, eux, ne l'ont jamais revu en chair et en images. Difficile d'imaginer la réalité de telles séquelles, davantage encore sur une icône comme Belmondo. Mais avant tout j'aime Jean-Paul, j'aime le film, je veux les soutenir. Victime d'un pépin, une maladie, une infirmité irréversible, un homme doit-il, parce qu'il est

135

célèbre, renoncer à toute activité ? J'ai vu ce qui s'est passé dans les rues d'Eygalières, durant nos vacances ; après un moment de flottement, le charme opérait. Les gens retrouvaient Jean-Paul. Jean-Paul retrouvait les gens. Et il aimait ce contact, ces retrouvailles. Avec son aisance magnifique. Si l'AVC avait ralenti une partie de son corps, sa nature restait intacte.

Cette période m'a obsédé comme l'une des plus délicates de ma carrière. Je me sentais déchiré. Je ne trouvais pas le film pathétique. C'était Jean-Paul avec son âge, après une épreuve qui aurait dû le laisser mort ou à l'état de légume. Sous l'infirmité, il avait remporté le plus dur de ses matchs de boxe. Je ne voulais ni l'entraîner ni le lâcher, ne pas le gêner mais ne pas rester non plus sur son silence blessé. Se posait la question de la pudeur et de l'impudeur. La charge des deux journalistes de RTL, alors que le film était encore loin des salles, fut un sale moment. Nous imaginions Jean-Paul, chez lui, figé derrière son répondeur. À quoi pensait-il ? Moi, je croyais dans la beauté de son retour : les spectateurs y verraient de la dignité, ils comprendraient et seraient bouleversés. Que le film soit bon ou non, un succès ou un bide, moi j'étais prêt. Et enfin je savais une chose : il s'agissait des adieux d'un monument national aux caméras de cinéma et de télévision. Cet adieu, pour ne pas qu'on le lui arrache avec des photos volées, je voulais le tenter avec lui. Peut-être aussi parce que j'ai raté le « départ » de Jean, parce qu'il y a des choses dans ma vie que je n'ai pas su prévenir ou maîtriser. Je voulais prendre ce risque. Depuis quelques années, je suis davantage sensible à ce que Simone de Beauvoir appelait « la cérémonie des adieux ». Anonyme ou star, chacun doit pouvoir dire au revoir sereinement, en laissant une belle trace de son passage.

Mais je ne voulais pas forcer Jean-Paul, l'attirer dans un échec. Je me suis donc mis à enquêter. Auprès de Francis Huster :

— Comment tu t'y es pris, sur le tournage ? Et pour convaincre Jean-Paul ?

— Je lui ai montré le script et le film de De Sica... Il m'a répondu qu'il allait réfléchir.

— Et tu as insisté ?

— Non, je t'assure. Je n'ai pas essayé de le forcer. Et quand il a accepté de faire le film, Jean-Paul m'a dit : « Je veux qu'on me voie tel que je suis, sans maquillage. » Quand j'ai dit : « moteur » la première fois, j'étais mort de trouille, la tension était énorme... Et, dès la première scène, on a tous compris que c'était gagné.

— Et quand il était fatigué ?

— Quand il était fatigué, l'équipe l'aimait deux fois plus.

Son bonheur de retrouver les plateaux a été une évidence pour tous. Retrouver ses potes techniciens et machinos. Avec sa chienne Corail, il allait à la cantine chaque midi, même les jours où il ne tournait pas. Avec cette élégance d'avoir l'air toujours fort, sans laisser l'ombre de la compassion s'installer.

Un homme et son chien est l'histoire d'un vieux solitaire viré par sa maîtresse et qui va se clochardiser au soir de sa vie, ne gardant à ses côtés qu'un chien. Jean-Paul comme moi et tant d'autres savons ce qu'un tel lien peut signifier. On peut pleurer un chien comme un être humain. Une bête peut devenir l'interlocuteur fondamental d'une vieillesse ou d'une solitude. Ou même d'une vie. Le film raconte l'errance de ces deux compagnons, l'homme et l'animal, à la soupe populaire, sur un quai de gare, dans un train, leurs rencontres de hasard. Jusqu'au soir où cet homme perd son chien. Et ne s'en remet pas. On finit par le voir descendre sur une voie ferrée. Sur les dernières images grossit au loin le point noir d'un train à pleine vitesse. Et soudain un chien saute sur le rail. Son chien revient lui sauver la vie.

J'en voudrai toujours à ces deux journalistes, sans cœur, peut-être trop jeunes, sûrement trop cons, de n'avoir pas voulu comprendre que ce film recèle un trésor. Leurs propos resteront le dernier grand chagrin de Jean-Paul. Ils auraient pu simplement la fermer. Quel intérêt d'émettre une telle sanction ? Le film, le véritable film, c'est Jean-Paul revenant une dernière fois au cinéma grâce à des années d'effort, millimètre par millimètre, après une vie de défis et de légende. Trois mois durant, chaque matin, il est venu au studio. Le premier jour, quand Jean-Paul est arrivé sur le tournage, il a levé sa canne en criant : « Alors, on y va ! » Et toute l'assistance l'a applaudi.

Jean-Paul a réussi. Ce film est son testament. Chaque ride y est un souvenir de jeunesse. Chaque sourire, une victoire du cinéma.

Hélas, le mal était fait. J'ai contacté Alexandre Bompard, patron d'Europe 1, ma station, pour que nous reprenions le parrainage d'*Un homme et son chien*. Belmondo ne voulait plus entendre parler de RTL, évidemment. Alexandre Bompard a tout de suite accepté, même si nous ne pouvions pas avoir Jean-Paul à l'antenne. Il m'a demandé si j'allais le recevoir à « Vivement Dimanche ».

— Je ne sais pas.

En fait, imaginant un montage cousu main, avec photos et bancs-titres à la moindre hésitation de Jean-Paul, je gambergeais déjà l'enregistrement.

Le temps passe, la rentrée, septembre... octobre... J'alerte Bertrand de Labbey :

— Qu'est-ce qu'on fait ?

— Il n'y a que toi. S'il décide de faire quelque chose, ce ne peut être qu'avec toi, Michel.

Je rappelle Jean-Paul : répondeur.

— J'ai vu le film, c'est toi. Je comprends que tu aies voulu le faire. Je comprends tes inquiétudes aussi. Ce film, maintenant, il faut le défendre. Moi, je le défends avec toi, si tu veux. On peut se voir pour en parler, j'ai une proposition, du béton pour toi.

Puisque Jean-Paul Belmondo réapparaissait au cinéma, dans sa vie, j'avoue que je voulais qu'il réapparaisse à l'antenne, dans la mienne. Je suis un homme de télé. Je voulais le faire pour nous, et pour le rendre heureux, finalement.

Il ne m'a pas rappelé.

Plutôt que d'avoir à dire non à un ami, Jean-Paul préférera toujours ne rien dire du tout. Bertrand de Labbey m'encourageait à insister. Je me suis mis à parler énormément au répondeur de Jean-Paul.

— … C'est encore Michel. Écoute, Jean-Paul, je te le répète, voilà ce que je te propose, du sur mesure. Un tête-à-tête, trois caméras, on se voit avant, on répétera : ta carrière, tes parents, tes femmes, le questionnaire de Proust…

Je n'ai jamais su ce que Jean-Paul pensait du film. Il ne me l'a jamais dit.

La fin de l'automne arrivant, personne n'y croyait plus, quand soudain, enfin, il me rappelle. Nous sommes fin novembre, pour un film qui doit sortir en janvier.

— J'aimerais bien… qu'on se voie.

Il n'est pas trop tard mais j'aurais tellement préféré travailler autrement, tourner en été, tranquilles, sur plusieurs jours, au soleil que Jean-Paul

140

aime tant. Là, après la Toussaint, il fait déjà un froid… de chien.

Toute l'équipe part en chasse d'un lieu possible, à la fois biographique et exceptionnel. Pas people. Bois de Boulogne ? Parc de Saint-Cloud ? J'apprends par l'incontournable Daniel – qui se dévoue tant pour lui depuis son accident – qu'en 2009 s'ouvrira le musée Paul-Belmondo, pour abriter les œuvres de son père jusqu'alors exposées au musée des Années 30 jouxtant la mairie de Boulogne. J'y fonce. C'est l'évidence. Nous tournerons ici, entre les sanguines de sa mère et les bustes de son père qui, parfois, prenait Jean-Paul ou sa sœur pour modèles. L'acteur n'a jamais caché sa blessure de ne pas voir l'art de Paul Belmondo honoré à sa juste valeur.

Je le rappelle, sans trahir notre trouvaille.

— J'ai trouvé un lieu, je crois. Tu vas voir, tu seras content. On peut tourner, Jean-Paul, peut-être pas en public…

Trois mots ont jailli, comme un cri.

— Pas en public ! Mais… déjeunons… D'accord.

Connaître Jean-Paul, c'est savoir que son père a été le héros de sa vie. Leur lien demeure phénoménal. Au point que si Jean-Paul n'a jamais voulu participer aux César, c'est qu'il n'a jamais pardonné à Georges Cravenne d'avoir choisi comme trophées du cinéma français une compression de César plutôt qu'une œuvre de Belmondo. Je crois aussi qu'il aurait rêvé qu'on dise « Les Belmondo du cinéma français ». Résultat, Bébel n'a jamais mis un pied aux César.

J'ai connu toute sa famille, des immigrés italiens à la fois bohèmes et pleins de bon sens – ils me rappelaient les Drucker en plus calmes. Sa mère m'aimait bien. Combien de fois suis-je allé passer un moment dans l'atelier de Paul, l'idole paternelle après laquelle Jean-Paul plaçait Jean Gabin et Pierre Brasseur. Ses parents le lui rendaient bien, ils ont tout passé à ce fils adoré. Chaque fois qu'il me voyait, le sculpteur m'entreprenait sur un sujet qui lui tenait à cœur :

— Michel, dites à Jean-Paul d'exercer son vrai métier !… Vous qui le voyez sans arrêt, dites-lui que les films de gangsters, tout ça, c'est bien, mais il a fait le Conservatoire, il a joué le répertoire, alors dites-lui de refaire son vrai métier !

— Pardon… C'est-à-dire, monsieur Belmondo ?

— Ça veut dire le théâtre ! Revenir au théâtre. Pour l'instant il s'amuse en s'accrochant à des hélicoptères ! Avant de mourir, je voudrais quand même bien revoir Jean-Paul sur les planches…

Le samedi, pendant plusieurs années, Jean-Paul et moi avons joué au foot. Il manquait parfois nos fins de semaine sur les stades. J'ai fini par savoir pourquoi. Il allait faire la lecture à sa mère, presque aveugle, dans son appartement de la place

Denfert-Rochereau. Il s'asseyait dans sa chambre, elle disait :

— Jean-Paul, allez, on y va.

Et il lui lisait *L'Express, Le Nouvel Observateur, Le Point…*

— Qu'est ce qu'ils disent dans *Match* ?

— Ben voilà, il y a des photos…

— Elles sont comment les photos ?… Ah bon, et encore ?… Et toi, ton film, comment ça va ?

— Ça va bien, maman.

— Quand est-ce que tu me le montres ?

— La semaine prochaine, maman.

À la première des projections privées, Mme Belmondo, petite femme toute frêle, s'installait au premier rang du balcon avec son fils. Souvent j'allais m'asseoir près d'eux. Elle écoutait les dialogues, tandis que Jean-Paul lui résumait l'action à l'oreille.

— Là, je suis avec Serge Reggiani.

— Et là, tu souris ?… T'as l'air en colère. Tu es habillé comment ?

À voix basse, Jean-Paul lui répondait. Je lui voyais ce que Delon n'a jamais eu : une famille. Maman, papa, le clan Belmondo, l'Italie.

En évoquant ses parents, l'œuvre de son père, je pressentais qu'il ne pourrait plus refuser l'interview. Lors de notre déjeuner au Plaza, sa langue a claqué comme elle fait dans l'enthousiasme.

— Ah… c'est ffformidable !

D'un coup, son visage s'est illuminé. Pour « Vivement Dimanche Prochain », nous réaliserions un tête-à-tête d'une heure, avec un gros sujet sur son père, au milieu de ses œuvres.

— Alors là… je viens !

Ses phrases sont très courtes, mais dans son œil chaque fois on lit tout ce qu'il ne dit pas.

J'ai demandé conseil à Philippe Labro, qui a travaillé sur plusieurs films avec lui. Il a semblé dubitatif.

— Comment vas-tu faire ?

— Je vais lui faire passer une vingtaine de questions. Je te les soumets, dis-moi ce que tu en penses. Et je vais discuter avec lui pour préparer vingt réponses, courtes, qui pourront lui servir de fil conducteur.

Il fallait cette préparation, ce fil rouge sur lequel Jean-Paul pourrait s'appuyer comme sur sa canne. Les questions s'enchaînaient, directes, simples :

— Ta maman ?

Il répondait :

— La… la femme de ma vie.

Chaque fois, il ne pourrait prononcer que quelques mots. Plus que tout, Jean-Paul voulait que son élocution soit correcte, qu'on ne puisse pas dire, comme sur RTL : il est trop diminué, inaudible. C'est devenu ma priorité, jusqu'à vouloir effacer les traces de son attaque. Si je devais me rassurer moi-même – mon sport quotidien –, cette fois il fallait aussi le rassurer lui. Toutes ses réponses ont été anticipées et synthétisées.

144

— Ton père ?

— Gentil ! Grand talent. Je lui ai fait le le... le plus beau ca... deau.

— On reprend, Jean-Paul, on peut faire plus court. Ne garde que ce qui te paraît essentiel.

Presque d'une traite, il parvenait à dire :

— Un homme... gentil.

Je ne voulais pas d'une confession, juste sa présence et son bonheur. Et ses trois mots sur son père valent pour moi toutes les déclarations.

L'interview le stressait. Stress et fatigue après un AVC font que les mots peuvent se heurter, surgir dans le désordre. Depuis dix ans il n'avait plus répondu à une interview, la plupart des confrères et probablement lui-même pensaient qu'il ne se livrerait plus à cet exercice. Je suis heureux qu'il en ait été autrement. Françoise Coquet, son œil de lynx et ses doigts de fée, a passé deux jours au montage. Des quatre-vingt dix minutes d'entretien, elle en a gardé cinquante. De la dentelle.

Peu après le tournage du film de Francis Huster, il s'est passé un événement incroyable. Jean-Paul a perdu sa chienne exactement comme dans le scénario de De Sica. Tout seul, au bois de Boulogne, à cinq heures du soir. On a retrouvé Jean-Paul assis, en pleurs, hurlant : « Ma chienne, ma chienne ! » Le chauffeur est arrivé, ensemble ils ont cherché, remué ciel et terre. « Il a perdu son chien, vous ne l'avez pas vu ? » Jean-Paul n'a pas voulu rentrer chez lui. Ils sont allés interroger les travestis, les pompiers, les boulistes, les cyclistes… tout le monde. Finalement il a bien fallu rentrer se coucher avant de reprendre les recherches au petit matin. Ainsi de suite pendant trois jours et trois nuits, inconsolables. Au troisième jour, exactement au même endroit du bois, Jean-Paul a appelé sa chienne… et la chienne a jailli des buissons. Comme à la fin du film. Nous avons terminé notre entretien pour « Vivement Dimanche » sur cette joie.

Le film a été un échec, tant critique que commercial.

Jean-Paul a été mon premier copain star. Dany l'a connu bien avant moi, en 1958, pour avoir fait une apparition avec lui dans la surprise-party des *Tricheurs*, le film légendaire de Marcel Carné. J'avais vingt ans. Avec lui j'ai tapé dans un ballon, en mai 68 nous avons organisé un match au profit des grévistes de l'ORTF. Une star et un copain dont je suis devenu plus proche encore aux moments les plus durs.

J'ai vu son enthousiasme, du jour au lendemain, pour Jean Dujardin. Beau, athlétique, pas bégueule. Aimant la comédie, ce genre où Belmondo a tellement brillé. Le jour où Dujardin

146

a appris que Belmondo désirait le voir jouer à ses côtés, Jean n'en a pas dormi de la nuit. Sur le tournage, Bébel est arrivé devant lui et, comme toujours chez les plus grands, en un instant il l'a mis à l'aise. Quand une star veut charmer, nul ne peut lui résister. Jean-Paul Belmondo voulait saluer son fils de cinéma. Ils sont devenus copains.

Jean-Paul voit grandir sa fille de six ans, Stella. Il poursuit sa performance inouïe de vivre. Il n'a plus jamais perdu sa chienne. Dany et moi lui avons promis de la recueillir s'il devait s'en aller avant elle.

Après la diffusion de son interview, mon portable a sonné, j'ai décroché et j'ai entendu :

— Allô, Michel, c'est Jean-Paul.

Pour la première fois, il me passait un coup de fil – renversant cinquante ans de hiérarchie entre la star et l'animateur. Enfin, cette fois, il m'appelait spontanément pour me dire une de ses phrases en quelques mots où ne tient plus que l'essentiel :

— C'était bien, merci. Michel. Merci… pour mes parents.

Une mère

Ce que mes parents m'ont dit à treize, quatorze ou quinze ans, ils me l'ont appris pour la vie. Leur voix a conditionné ma carrière. Cet héritage n'est pas seulement fait de mots, de consignes, il est devenu ma loi, mes réflexes. Ce n'est pas par hasard que je reste associé depuis quarante ans avec la productrice la plus élégante de l'audiovisuel. Elle et moi finirons le chemin ensemble. Françoise Coquet est le contraire du racolage, avec un seul grand principe : plutôt perdre deux points d'audience que son âme. Ce principe ne vaut pas que pour la télévision, il s'est adapté à tous les parcours de la vie. Chez nous, jadis, mes parents ne m'ont jamais dit autre chose, sans se douter un instant que leurs valeurs vaudraient aussi pour mon métier. S'ils pouvaient lire ces mots aujourd'hui, ils n'en reviendraient sans doute pas.

Dans *Mais qu'est-ce qu'on va faire de toi ?*, j'ai évoqué mon père, il me semble même n'avoir parlé que de lui – il le valait bien. Abraham

Drucker était homme à prendre tout l'espace ; dans son sillage personne n'a pu exister facilement. Ni mes frères ni moi. Ni ma mère enfin. Pourtant c'est elle qui est restée dans ma vie jusqu'au bout de la sienne. À force de ne pas vouloir se faire remarquer, Lola Drucker a été de ces femmes dont on ne parle pas.

Si je garde de Vire un sac de souvenirs difficiles, je voudrais l'adoucir avec celui de ma mère. Après s'être rangée derrière son mari, elle a confondu sa vie avec celle de ses fils. Jusqu'à sa disparition, tous nos dimanches soir étaient pour elle. Nous nous retrouvions autour de sa table, Jean et moi, chaque fin de semaine. Jacques moins souvent, ses études, sa carrière médicale, très tôt l'ont entraîné loin de nous. Mais Jean et moi, rien n'aurait pu nous faire sacrifier ce rituel, dont il fallait respecter certains usages. Le principal était de ne pas arriver avant huit heures. Car jusqu'à huit heures tapantes, pour rien au monde même pas ses fils, notre mère n'aurait manqué une image de « Sept sur Sept » et de son idole, son modèle de femme, de journaliste et de mohair : Anne Sinclair. Ah, Anne Sinclair. Pendant des années, son magazine dominical a rythmé à la minute près notre coup de sonnette à la porte de notre mère. Si par malheur nous mordions sur la diffusion, maman venait ouvrir en soupirant, comme si nous commettions un crime.

C'était une femme exclusive. Elle n'écoutait
que « Radioscopie », ne lisait de bout en bout que
Le Nouvel Observateur et choisissait ses programmes
télévisés uniquement dans *Télérama*. Elle s'est édu-
quée grâce aux mêmes hommes que moi, elle à
travers sa télévision et moi dans les couloirs de
l'ORTF : Pierre Desgraupes et Pierre Dumayet.
Mais en aucun cas il ne lui serait venu à l'idée de
me comparer à ces professionnels prestigieux.
Maman pensait que je ne faisais pas, que je ne
ferais jamais la même télévision qu'eux. Pour elle,
c'était d'une telle évidence qu'elle ne s'imaginait
même pas combien cela a pu me blesser. Son
amour maternel, si fort fût-il, ne l'a jamais aveu-
glée à mon égard, c'est le moins qu'on puisse dire.
Elle me voyait en miraculé, entre deux publicités
et mille paillettes, au moins je gagnais ma vie
quelque part le temps que cela durerait et, franchement, il n'y avait pas de quoi se vanter. Ce fut
dur parfois, mais rien n'est plus sain finalement
que de ne pas être roi en son pays. Si elle aimait
bien « Champs-Élysées », elle ne se retenait jamais
de me rappeler combien elle préférait « Le Grand
Échiquier » – ça c'était de la belle télévision, question de culture. Longtemps elle me l'a répété,
presque chaque dimanche. Longtemps j'ai ac-
quiescé. Puisque, aux yeux des miens, je n'avais
pas à être fier de ce que je faisais, il fallait faire
mieux, hisser le niveau. Durant toutes les années
soixante-dix, ce fut ma motivation secrète. Une

sorte de formation permanente vers un haut de gamme qui aurait enfin bluffé ma mère tout en restant partagé du grand public. Combien ses petites sentences, son sourire ou ses silences, ces expressions qui lui échappaient parfois devant mes émissions, m'ont insufflé le désir d'évoluer, un but d'autant plus forcené qu'il demeurait caché. Je ne me serais sans doute pas encombré d'une telle exigence si maman n'en avait pas ranimé la flamme avec une belle constance. Même avec ma tête à la une de *Télé 7 Jours*, je gardais une revanche à prendre : pouvoir égaler un jour dans le jugement de Lola Drucker les hommes de média qu'elle admirait. J'ai passé ma jeunesse à redouter mon père et les vingt ans qui suivirent à rêver d'épater ma mère. Cela fait un beau bagage, au fond.

Aujourd'hui, chaque fois que je reçoi. un leader politique, un intellectuel, un chercheur, un historien, comme je regrette qu'elle ne soit plus là, de ne plus sentir sa petite main sur mon bras. Quand j'ai pris ma respiration derrière le rideau au côté d'Olivier Besancenot juste avant de l'accompagner sur la scène de son « Vivement Dimanche », c'est à elle que j'ai pensé, narquois. Maman n'était pas révolutionnaire, mais elle était radicale et elle aurait trouvé ce petit Besancenot trop bien élevé pour être dangereux. Il lui aurait même plu, je crois. Face à Jean Daniel, lors d'un autre « Vivement Dimanche » où nous ne misions pas sur des records d'audience, j'ai même annoncé mon invité en avouant : « Jean Daniel, vous étiez l'homme et l'intellectuel que ma mère vénérait. » Si je lui avais dit, dans les années soixante-dix, qu'un jour j'inviterais tout un après-midi de grande écoute « son » Jean Daniel, le patron de « son » *Nouvel Observateur*, elle aurait encore levé les yeux au ciel, incrédule.

Lola Drucker pourtant n'était pas une intellectuelle, c'était une femme de gauche, ni riche ni pauvre, issue d'une bourgeoisie provinciale dont on n'entend jamais parler. Elle était de gauche par tradition, une tradition qui pourrait porter le nom de Mendès France, et juive, tendance sioniste par conviction. D'où sa passion pour Jean Daniel, qui soutenait Israël comme elle l'entendait. Mon père, lui, était bien plus nuancé. La déportation l'avait rendu surtout français, et presque plus du tout juif, en tout cas extérieurement. La guerre avait comme brûlé en lui cette racine. Lui, si sonore et si envahissant, politiquement n'aspirait qu'à se fondre dans son pays d'accueil. Je crois que fondamentalement il gardait vissée au fond de lui cette peur qu'un jour tout ne s'arrête, comme ce matin de 1942 où il fut dénoncé. Longtemps, moi aussi, j'ai eu cette sensation que les choses s'interrompaient brutalement comme ça, un matin. Après m'avoir voulu, un jour on ne me voudrait plus, et il faudrait alors renoncer à tout ce que j'avais construit. Paradoxalement c'est de notre père que me viennent la prudence, le sens de la conciliation et de notre mère l'entêtement. C'est lui qui nous a donné des prénoms sans judaïté et qui nous a fait baptiser. S'il n'avait tenu qu'à maman, Jean se serait sûrement appelé Samuel, moi Simon et Jacques David. Pour elle, la réussite scolaire était une victoire sociale quand, pour notre père, c'était avant tout la preuve d'une intégration éclatante et protectrice. Mon échec les peinait doublement. Au fond, des deux, c'était Lola la plus ambitieuse pour ses trois fils. Je me souviens combien elle aussi poussa Jean à faire l'ENA. Et combien elle m'encouragea, sans trop y croire, à tenter d'approcher cette télévision culturelle qui a priori n'était pas la mienne. Moins violente que notre père mais acharnée, elle aussi nous a poussés sans répit.

Les parents considéraient que nous leur appartenions, que quoi qu'il arrive nous resterions un prolongement d'eux-mêmes, de leurs origines, de leurs espoirs et de leurs valeurs. Malgré mon parcours singulier, je n'ai jamais remis en cause cette loi, et nous sommes restés soudés. Même si Lola et Abraham, pourtant si différents, pouvaient se montrer absolument fermés à tout ce qui n'entrait pas dans leurs aspirations. Jean fut le seul à s'opposer à eux, avec ironie souvent, avec dureté quelquefois. Peut-être parce qu'il leur a sacrifié plus que moi, en épousant cette voie d'énarque dont M. et Mme Drucker rêvaient pour lui.

154

Nous aimions nos parents, tout en les redoutant et en les fuyant parfois. Je crois avoir dit dans mon premier livre que ni Jean, ni Jacques, ni moi n'avons informé les parents de nos mariages respectifs. Nous nous sommes mariés sans eux, sans même les avoir prévenus, nous ne voulions pas les voir s'immiscer et juger les femmes que nous aimions.

Quand un photographe nous a flashés Dany et moi avec Stéfanie petite fille dans un aéroport et que *France Dimanche* a publié la photo, illico mon père a téléphoné à ma mère.

— Tu as vu ça, qui c'est cette blonde, avec une enfant ! Et qu'est-ce que c'est que cette photo dans un journal de concierge ?...

Le comble, lui qui fit valser quarante ans de mariage pour convoler avec une femme... de plus de quarante ans de moins que lui (oui, vous avez bien lu). Sur le coup, j'ai laissé passer l'orage... et je me suis marié à Las Vegas avec Dany sur un coup de cœur qui dure depuis plus de trente-cinq ans. Épouser Dany Saval a été et demeure une des plus belles choses de ma vie – et je l'ai pourtant accomplie sans en dire un traître mot ni à ma mère ni à mon père. Un dimanche soir à table, tout d'un coup, maman a remarqué que je portais une alliance. Elle en a été stupéfaite.

— Comment cela, marié, tu aurais pu au moins m'en parler !...

— Et ouvrir un conflit ? Nous n'avons prévenu personne. Je ne voulais pas que tu me reproches d'être à la une d'une presse qui t'a scandalisée quand j'ai connu Dany. Et je ne voulais pas t'entendre dire du mal d'une blonde, d'une divorcée, d'une goy…

Je savais combien mes parents pouvaient être parfois redoutables et injustes. Pourtant ma mère a vite aimé Dany – pour une raison pragmatiquement domestique. Elle jugeait que Dany… s'occupait très bien de moi. « En fait, tu as eu raison. C'est tout à fait la femme qu'il te fallait, tu es tellement immature, Michou. » Jugement que Dany partage, quarante ans plus tard.

C'était ma mère. Elle n'avait jamais complètement raison ni jamais tout à fait tort. Aujourd'hui, ce que je retiens de l'indignation de mes parents, ce n'est pas tant que Dany les heurtait, mais plutôt d'avoir vu des photos volées de nous dans la presse. Alors, imaginer des photos de notre mariage dans les journaux… J'entends encore maman siffler :

— Cela intéresse qui ? Enfin !

Le mot « people », qu'on n'employait pas encore à l'époque, lui aurait paru un naufrage. Je suis devenu un homme public avec des parents pour qui tout ce qui s'expose est navrant. Ce n'était ni reposant ni pratique. Et pourtant aujourd'hui je leur dis merci.

Quand nos parents se sont séparés, au moment où j'entrais à la télévision, nous avons vécu ensemble, maman, Jean et moi, place Clichy, en face de chez Léon Zitrone. De 1965 jusqu'au début des années soixante-dix. Durant toutes ces années d'initiation, j'étais sous la houlette de Lola Drucker à la maison et, au travail, rue Cognacq-Jay, sous celle du grand Léon avant de passer sous la coupe de la terrible Michèle Arnaud. Autant dire que je n'en menais pas large.

Puis j'ai quitté ma mère pour Dany, et Jean aussi a volé de ses propres ailes. Mais chaque dimanche soir nous nous retrouvions chez maman, au cinquième sans ascenseur de la place Clichy. Elle y a vécu seule avant de déménager pour un appartement plus confortable et plus proche de chez moi, rue Saint-Didier dans le XVIe. Mon père continuait sa vie en province, elle à Paris, avec nous. Elle s'est vengée d'Abraham et de sa toute nouvelle Mme Drucker en partant retrouver ses fils. Elle nous a gardés près d'elle, sans refaire sa vie. Jean n'a jamais vraiment pardonné à notre père, moi si. Maman s'est trouvée très heureuse, avec nous, à Paris. Plutôt que d'accompagner l'existence d'un médecin normand aussi charismatique que tyrannique, elle a suivi notre route. Trente ans durant, nous avons compensé sa solitude. En fait, nous la voyions sans arrêt, un jour chez l'un, le lendemain chez l'autre ou ouvrant sa table à nos ami(e)s. Et, chaque dimanche soir, nous reformions notre petit cercle. Je vis toujours ainsi. Le soir vers huit heures et demie, on me trouvera le plus souvent en train de dîner dans la cuisine, entre Dany, Claude, l'homme de confiance indispensable à notre vie et... les yorkshires, les persans, les gouttières, les chihuahuas. Stéfanie et Rebecca nous rejoignent parfois, elles habitent l'immeuble voisin (avec évidemment deux chiens). Mais nous nous engueulons moins qu'au temps des dimanches chez maman – la vie est un progrès constant.

Du temps de la place Clichy, à peine arrivé chez elle, déjà, j'avais une bonne raison de m'énerver : jamais il n'y avait un seul des magazines dans lesquels je figurais durant la semaine. Maman n'ignorait pourtant pas ma carrière, parfois elle s'exclamait en voulant me faire plaisir : « Ah, je t'ai vu dans un journal que lit la gardienne... » En aucun cas ce genre de journal n'entrait dans son appartement où le sacro-saint *Télérama* trônait bien à sa place sous le poste de télé tandis que sur la table basse, en pile, on trouvait *Le Monde* et *Le Nouvel Obs*. J'ai donc fini par lui apporter la presse qui me concernait et la poser bien en évidence. Maman était têtue mais elle ne m'effrayait pas comme papa. Avec elle je pouvais me défendre, convaincre – j'ai passé trente ans à essayer. J'ai la nostalgie de nos échanges, à la fois crispants et hilarants. Imperceptiblement, elle a fini par s'intéresser à ce que je faisais, elle a évolué, moi aussi, toutes ces années nous avons bougé l'un vers l'autre. Même si nos dimanches n'étaient pas tous les jours dimanche. Et si nous n'avons jamais cassé de vaisselle, c'est que ma mère était trop bien élevée et donc nous aussi.

Distraitement, elle a commencé à parcourir les magazines que je lui apportais. Lorsqu'elle tombait sur une photo de moi, elle écarquillait les yeux, apparemment contente, avant de replacer le journal tout en dessous de la pile. Cela m'encourageait à ne pas baisser les bras. J'ai continué à lui parler de mon travail – je n'en avais pas d'autre, c'était ça ou rien. Elle m'écoutait avec patience. Et me regardait de plus en plus souvent dans le poste. J'encaissais ses réserves avec le désir secret, un jour enfin, de les vaincre. Ses opinions m'intriguaient, j'avais besoin de savoir ce qu'elle trouvait « inacceptable », « correct », « sympathique » ou « tout à fait navrant ». Ma mère continuait d'être une boussole marquant un nord inatteignable, une sorte d'idéal. La vérité, c'est que je voulais tellement la rendre heureuse, enfin fière de moi.

Parfois il m'arrivait de la sortir. L'une de ces toutes premières occasions, parce qu'elle aimait beaucoup Charles Dumont, fut une première à l'Olympia. Grand soir et tapis rouge. Dumont, le séducteur français, parolier de Piaf, auteur de « Je ne regrette rien », était alors au sommet de sa gloire. Nous sommes arrivés, ma mère et moi devant l'Olympia, les appareils photo se sont mis à crépiter face à nous, c'était la première fois qu'elle et moi arrivions ainsi ensemble à un gala. À travers

les flashes, j'ai adressé quelques saluts, trois sourires, tandis que je sentais ma mère sursauter avant
de se faufiler tête basse à l'intérieur. À peine dans
le hall, elle s'est retournée et dans un souffle m'a
lancé :

— Mais qu'est-ce que tu as encore fait ?

Comme si nous étions sur les marches du
Palais de Justice.

— Mais rien, maman !

— Qu'est-ce que c'est, alors ?

— Ce ne sont pas des photographes de faits
divers...

— Ah oui, à quel titre alors on te photographie ?

— Les gens de télévision sont connus...

— Mais enfin, tu n'es pas Yves Montand... et
je ne suis pas Edwige Feuillère !

— Non maman, je ne suis pas Yves Montand.

Et nous sommes entrés dans la salle écouter
Charles Dumont, un véritable artiste, lui, un
homme bien, formidable, sans idiotie ni vulgarité.
À la sortie, à mon grand soulagement, les photographes avaient disparu.

Quelques années plus tard, quand elle s'est
trouvée à son tour dans *Ici Paris,* Lola Drucker en a
eu le souffle coupé. C'était absolument incom-
préhensible pour elle. Elle ne voyait pas ce qu'elle
pouvait bien y faire – et elle n'avait pas tort.

Maman était d'origine viennoise, fille de dra-
piers, petite bourgeoisie de l'ex-Empire austro-

160

hongrois. Un beau jour, cette jeune fille croisa un cyclone et l'épousa. Des années plus tard, Lola Schafler devenue Mme Drucker m'a avoué qu'à peine après avoir dit oui à mon père, dans la mairie de Ploemeur, au fin fond du Morbihan où ils avaient fui l'Europe de l'Est, elle avait compris son erreur. Une erreur de jeunesse, la folie d'un moment. Cet homme qu'elle a aimé et supporté aura été le contraire de celui qu'il lui aurait fallu. Ma mère était prête pour une vie calme, rangée. Pas pour une tornade. À Paris nous ne parlions plus des paysans se succédant dans la petite salle d'attente de Vire, nous évoquions ce nouveau monde qu'étaient la télévision et la chanson. De ces vedettes qui pour elle se résumaient à la population d'un village où son fils avait miraculeusement fait son nid – le show-business ne l'impressionna jamais.

Quand François Valéry venait chanter ses tubes sur mes plateaux, elle scrutait le poste de télévision, avant de tourner la tête vers moi…

— Il est de la famille du poète Paul Valéry?

— Non, non maman, je ne pense pas.

— Ah bon.

— Ce n'est peut-être pas son vrai nom, d'ailleurs.

— Parce qu'il change de nom, en plus? Pourquoi, il a honte du sien?

— Maman, pas forcément. C'est ce qu'on appelle un nom de scène. Ça se fait.

— Ah, si ça se fait … Eh bien, moi, je préfère que tu aies gardé le tien, quand même.

Elle renonçait à la conversation avec l'air de n'en penser pas moins. Moi je ne renonçais pas. Parfois, je lui disais :

— Viens avec moi, on part…

Elle voulait bien. Elle s'apprêtait en se demandant dans quoi j'allais encore l'entraîner. Je me souviens particulièrement d'une soirée à Lorient, dans sa Bretagne de jeune mariée, avec Hervé Vilar, chanteur très populaire.

— Est-ce qu'il a un rapport avec Jean Vilar?

— Pas du tout, mais il s'appelle bien Vilar.

Ma mère l'a donc observé hurler à la mort « Capri c'est fini » sur un podium devant une foule de lecteurs de *Ouest-France* en liesse. À la fin de la chanson, je me demandais ce qu'elle pensait, elle avait l'air songeuse. La foule faisait un triomphe au chanteur. Lola elle-même l'a applaudi.

— Il est populaire ce garçon, dis donc.

— Tu sais, maman, c'est un petit gars de l'Assistance.

— Ah… Mais qu'est-ce que ça veut dire, c'est fini Capri? Il répète ça cent fois. Moi je croyais qu'il était de Capri.

— Non. C'est lui qui a écrit ce texte, à dix-huit ans.

— Hmm… Pour dix-huit ans, ça va, c'est pas mal.

— Tu sais, maman, si tu savais d'où il vient, il a grandi seul, orphelin, il a fugué. Gamin, à Pigalle, il a fait tous les petits boulots et, soudain, cette chanson, c'est un tel tube qu'elle va le faire vivre toute sa vie.

— Ah. Tant mieux. De toute façon, je viens de te le dire, il est sympathique ce garçon.

— Les chanteurs viennent souvent de milieux populaires. Tout le monde ne peut pas être Brel ou Ferré.

Maman a hoché la tête.

— Oui, oui… Tu as raison, Michou.

J'avais rarement raison. À partir de ce récital, grâce à Hervé Vilar, quelque chose a changé. Maman se renseignait, sa curiosité s'était éveillée. Elle tombait sur la vie et les photos des vedettes dans les magazines que je lui apportais et elle finissait par m'appeler au beau milieu de l'après-midi.

— Oh, dis donc, tu sais qui je viens de voir à la télévision, ton camarade Hervé Vilar. Il a encore chanté « C'est fini Capri », vraiment ce n'est pas si mal pour son âge… Ce n'est pas comme ton François Valéry… François Valéry, ah ça non !

— Maman, écoute, François Val…

— D'abord, pourquoi a-t-il les cheveux jaunes ?

— Parce que les chanteurs à la mode se décolorent, c'est comme ça, regarde Johnny…

— Mais c'est très jaune. Michou, tu sais, tu devrais lui dire, il faudrait vraiment que ce soit moins jaune…

Le dimanche, je rectifiais, j'expliquais, je lui brossais l'historique du show-biz, des tendances, entre les molossols et le strüdel. Sans un mot, elle me fixait, les sourcils froncés sur deux yeux méfiants.

— Et pourquoi Mireille Mathieu crie si fort?

— Mais elle ne crie pas.

— Si. Regarde, comparée à Barbara, est-ce qu'elle crie Barbara?

— Barbara, cela n'a rien à voir maman, ce n'est pas le même monde, elle est auteur-compositeur. Piaf, regarde, elle criait fort!

— Michou, s'il te plaît, ne compare pas! Piaf n'a rien à voir avec Mireille Mathieu! D'ailleurs je ne vois jamais rien d'écrit sur Mireille Mathieu.

— Dans ton *Télérama,* ça n'a rien d'étonnant. Mireille est une artiste très populaire.

— Dans *Le Nouvel Observateur* non plus ils ne parlent jamais d'elle, ni dans *Le Monde*!

— Mais maman, ils ne peuvent pas parler de Mireille Mathieu dans *Le Monde*!

Et chaque dimanche j'expliquais, je répétais. Au fil des mois, des années, elle connaissait presque toute la scène française, et s'intéressait à « mes invités », en soupirant souvent. Mais elle essayait de comprendre. Je me souviens d'un dimanche d'orage où, en ayant assez de la voir me citer encore en exemple Jacques Chancel et son « magnifique » « Grand Échiquier », j'ai fini par lui lâcher :

— ... Écoute, maman, une bonne fois pour toutes, d'abord, si j'invite si souvent Mireille

Mathieu, c'est que nous avons le même public. Les gens qui l'aiment m'aiment aussi, moi. Voilà, c'est comme ça.

— Bon, bon… (Gros soupir.) Dis-moi quand même une dernière chose, qui est son coiffeur, à Mireille Mathieu?

— Je ne sais pas.

— Il ne s'est pas foulé.

— Maman, c'est *sa* coiffure, on l'identifie à cette coiffure!

— Ce n'est pas une coiffure, c'est un casque qu'elle a sur la tête… Tu vois bien que ça ne lui va pas, c'est ridicule, Michou. Tu devrais lui dire, toi, essayer de la changer un peu, ce serait tellement mieux pour elle… Elle a un joli visage.

Nous en sommes restés là, comme d'habitude, et je suis reparti furibard sans même qu'elle comprenne pourquoi.

Quelques soirs plus tard, Mireille Mathieu est passée dans un show des Carpentier où les artistes se costumaient. Dès le lendemain, coup de fil de ma mère, ravie.

— … Dis donc, hier j'ai vu la petite d'Avignon, eh bien, tu vois elle a changé, elle est bouclée maintenant, c'est toi qui as dû lui dire?… Tu as bien fait, tu vois, j'avais raison, c'est mieux, et puis ça change…

— Oui, maman, si tu veux.

Huit jours plus tard, Mireille Mathieu avait repris son casque et maman, découragée, n'en a plus parlé. Le dimanche suivant, elle a changé de dada.

— Et dis donc, pourquoi Dalida roule les *r* sans arrêt?

— Parce qu'elle est égyptienne, elle vient de loin.

— Ah, si elle est égyptienne... mais elle n'en a pas l'air, franchement.

Ma mère est passée à autre chose pendant un moment, puis tout à coup...

— ... Et pourquoi Dalida ne se fait pas opérer des yeux, tu devrais le lui dire, toi...

— Maman! Elle s'est déjà fait opérer des yeux, plus jeune, c'est même de cette opération qu'elle garde un léger strabisme. C'est déjà suffisamment douloureux pour ne pas le lui rappeler.

— Bon, d'accord. Excuse-moi. Comme si je pouvais savoir. La pauvre... Mais alors, pour en revenir à Mireille Mathieu, je voulais te prévenir que la petite Georgette Lemaire chante Piaf beaucoup mieux qu'elle, et pourtant tu n'invites jamais Georgette Lemaire...

Elle avait raison. Mais je n'ai pas osé lui dire qu'il s'agissait aussi, déjà, d'une question d'image – ce qui lui aurait paru une grossièreté. J'ai dû baragouiner je ne sais quoi, en songeant qu'il faudrait, en effet, inviter Georgette Lemaire.

Je n'en pouvais plus, mais j'écoutais ma mère avec sa manière particulière de se pencher sur

166

« mon » show-business. Je la voyais se choquer, se calmer, s'étonner, comprendre et ne pas comprendre. Pendant des années, son point de vue sur mon métier a surtout été de l'ordre de la coupe de cheveux, avec une correction automatique de mes fautes de français...

Qu'est-ce qu'elle a pu me dire de choses dont je ris aujourd'hui. C'était d'une drôlerie, ces conversations sur les vedettes. Une bonne partie de nos dimanches soir y passait, avant que ne se profilent les sombres questions de politique, et l'épineux problème du Proche-Orient. Question relations internationales, c'est Jean qui s'y collait, me laissant un répit sous mes paillettes. Là encore, le ton pouvait monter, la table tanguait fort, avant que le calme ne revienne. Puis nous nous embrassions sur le pas de la porte où maman me glissait d'essayer absolument de regarder... « Le Grand Échiquier » de Jacques Chancel parce qu'il recevait Rostropovitch – le violoncelliste.

— Merci, je sais que Rostropovitch est violoncelliste.

— Tu prends tout mal. Je te disais juste ça pour que tu progresses en regardant de bonnes émissions.

— À la semaine prochaine, maman.

Je donnerais tous les disques de Rostropovitch pour revivre un de ces dimanches.

Pour ses dîners, elle se fournissait rue des Rosiers, chez Goldenberg ou avenue de Wagram quand elle était pressée ; rien n'aurait pu la faire aller ailleurs. Elle y était connue comme Mme Drucker, la maman de Michel, ce qui l'enchantait sans qu'elle y attache plus d'importance que cela n'en méritait. Mais elle était ravie de s'entendre dire : « Et comment va votre fils ? Nous l'avons vu dimanche... » Là encore, les conséquences de ces courses rue des Rosiers n'étaient pas sans provoquer certaines tensions. Maman rapportait toujours des cornichons à la russe et des *cabanos*, les petites saucisses sèches que je dévorais comme des chips. Mais, dès que j'arrivais, elle m'entreprenait sur le sujet urgent qui la préoccupait au plus haut point. Sa voix se faisait plus basse, solennelle presque.

— Michel, je veux te parler. Mercredi je suis allée chez Goldenberg et Mme Goldenberg elle-même m'a dit : « Madame Drucker, si vous me permettez de pouvoir vous dire les choses, c'est malheureux que Michel ne prenne pas plus d'artistes juifs... »

— Maman, pourquoi tu dis ça ?

— Parce que Mme Goldenberg me l'a dit, je n'invente rien.

— Quand même, je te...

— Je te dis ce qu'on me dit, Michel ! Reconnais-le, peut-être qu'effectivement tu n'invites pas beaucoup d'artistes juifs... et c'est bien regrettable.

168

De tous ces dimanches soir, j'ai le souvenir d'un seul où je fus fêté en enfant prodige, pour une émission à propos de laquelle ma mère ne tarissait plus d'éloges, débordant d'enthousiasme : celle où j'avais reçu Louis de Funès pour son film… *Les Aventures de Rabbi Jacob*.

Mais personne, même pas Rabbi Jacob, n'aurait pu égaler dans son cœur Guy Bedos. Guy, elle l'adorait. Combien de fois ne m'a-t-elle pas demandé…

— Et il n'est pas juif ?

— Non, maman, je ne crois pas.

— Tu es sûr ? Vérifie, s'il te plaît.

Un jour qu'elle remettait cette question sur la nappe, je lui ai annoncé froidement la nouvelle :

— Non, je te dis. Il n'est pas juif.

— Dommage, il aurait mérité de l'être !

Elle était têtue, mais nous pouvions toujours discuter. Derrière les a priori, il y avait le plus souvent du bon sens.

Et puis arriva ce que je garde en mémoire comme le grand dimanche de Milan, je l'ai déjà raconté dans mon premier livre. Milan où je venais de passer la journée avec Berlusconi, qui voulait m'embaucher sur la Cinq. Il m'avait offert son avion privé pour que je sois à l'heure au dîner matriarcal. En arrivant chez maman, j'ai pensé qu'il fallait absolument lui cacher tout ce cirque, les tractations et cette montagne d'argent – à un tel niveau ce n'est plus de l'argent, c'est ce que l'on appelle le pognon.

J'ai pris mon frère à part; lui aussi voulait me parler. Maman n'aimait pourtant pas nos messes basses.

— Jeannot, je dois absolument cacher ça à maman.

Jean était bien d'accord.

— Et il n'est pas question que tu ailles sur la Cinq, on vient de me nommer à la direction de la 2.

— Garde-la à la cuisine, surtout qu'elle n'entende pas, je vais rappeler l'Italie.

J'ai attrapé le combiné dans le couloir, et j'ai parlé à voix basse.

— Allô, Silvio… Oui, c'est Michel…

— Ah, Michélé, tu es bien rentré avec l'avion privé, si tu viens chez moi, j'ai oublié dé té dire, tu pourras utiliser l'avion quand tu veux, elle est contente la mamma, tu as dit combien tu vas gagner à la mamma?

— Non, je n'ai rien dit.

— Dis, dis à la mamma combien tu vas gagner! Tu as oublié déjà, moi pas, Michélé. N'oublie pas lé chiffre : vingt-cinq millions dé dollars sur sept ans. Ah, avé la mamma, champagne cé soir!

— Silvio, je ne vais pas pouvoir venir…

— *Ma perche?*

Je chuchotais dans le couloir, planqué, un œil vers la cuisine où ma mère s'affairait sur les saucisses.

— Silvio, je ne peux pas. Mon frère Jean vient d'être nommé patron de ma chaîne sur le service public, il me demande de rester à ses côtés. Je ne peux pas quitter mon frère, tu comprends, tu es italien…

— Ha, zé comprends… Bon, Michélé, écoute : dors tranquillé et dis à ton frère qu'il m'appelle *domani*, zé lé prends aussi, avec toi, son prix sera lé mien…

— Michou, qu'est-ce que tu fabriques encore au téléphone, on va dîner !

— Rien, rien, j'arrive, maman !

Je crois que si j'étais passé sur la Cinq, avec la Ferrari, l'avion privé, les pom-pom girls et le pactole, ma mère aurait été capable de me crier, indignée : « Va rendre cet argent tout de suite ! »

Notre plus beau souvenir de presse pour elle et moi, ce fut quelques jours plus tard à la une de *Libération* ce titre sous ma photo en pied : « Ma mère n'aurait pas compris ». D'une phrase de mon entretien avec Serge July ils avaient fait l'accroche de couverture.

Elle était enchantée, tellement fière , enfin.

Jamais je n'ai dit à ma mère ce que je gagnais. Parce qu'elle aurait trouvé désolant qu'on me rétribue pour mes soirées paillettes bien plus que mon frère médecin et chercheur. Pour maman, cela n'aurait eu ni queue ni tête.

Elle n'a jamais roulé sur l'or. Rouler sur l'or, ce n'était pas nous. Ce n'était pas cette vie qu'elle voulait nous voir vivre. Son mari avait été un petit médecin de campagne. Elle pouvait trouver jolis une fourrure, un bijou sans penser une seconde avoir cela chez elle.

Quand j'ai fait construire notre maison d'Eygalières, si grande – les collines au loin, les champs d'oliviers m'avaient charmé –, la moitié de cette maison était pour elle. Hélas, je n'avais pas vu le temps passer ni maman devenir une dame âgée, frappée par un mal dont elle ne se remet-trait pas. Elle vint voir le chantier, les travaux, enchantée mais un peu ailleurs déjà. Cette maison était pour le clan Drucker. Elle ne l'a jamais vue finie, mais Eygalières la rassurait enfin. Ten-drement elle m'a dit :

— C'est bien, cette maison, pour tes nièces aussi, parce que même si elles ne gagnent pas beaucoup d'argent, elles pourront toujours venir ici chez toi.

Marie pas plus que Léa n'a besoin d'Eyga-lières. Maman non plus, ni Jean. La maison de famille est toujours aussi grande et la famille n'est plus.

Ma mère passait ses vacances avec Dany et moi soit en Normandie soit dans le Midi, à Maussane, jamais avec Jean ou Jacques. Toujours avec moi, garant du cercle familial. Dans cette belle maison d'Eygalières en travaux bientôt achevée, elle ne s'y voyait pas. Je ne comprenais pas pourquoi. J'ai compris, après. Sans en dire un mot, elle sentait qu'elle allait partir. Et encore une fois elle n'avait pas tort. Ça a fini par arriver. Si vite. Nous n'avons pas voulu la laisser à la clinique. Nous l'avons fait revenir chez elle, rue Saint-Didier, avec une infirmière à domicile. Elle voulait mourir où elle avait vécu. Maman ne quittait plus son lit. J'y allais chaque jour jusqu'à l'heure où elle me disait, voyant venir la fin de l'après-midi :

— Va à l'antenne, présenter « Studio Gabriel », tu reviendras me voir après.

Maman est morte en me regardant à la télé. Elle est morte devant moi mais moi je ne la voyais pas. Ce jour-là, je suis passé rue Saint-Didier vers dix-huit heures, elle était au bout. Toute frêle. D'une petite voix elle m'a dit, comme d'habitude : « Va, va faire ton émission... » Je suis allé à l'antenne pour revenir juste après. Elle est morte devant « Studio Gabriel ». Dans sa chambre, la télé était encore allumée.

Les gens

J'aime les gens. C'est comme ça depuis toujours. Il y a des personnes qui n'aiment pas les gens, comme d'autres n'aiment pas les animaux. Moi, si, j'aime même les deux. Quand j'arriverai au bout du chemin, il me restera quoi ? Ces regards anonymes qui ne trompent pas. Les signes d'estime et d'amitié, parfois maladroits, de ceux qui ne savent pas les dire. Des inconnus croisés dans un TGV, un aéroport, le hall d'un hôtel, à la sortie d'un tournage, au coin d'une rue, d'un couloir. Les téléspectateurs me touchent aujourd'hui davantage que les célébrités. Comme mon père, le Dr Abraham Drucker, qui avait cette passion d'entrer dans la salle à manger, la cuisine, la chambre de chaque foyer. Sa vie était là. À la fin de sa carrière, lors de ses visites, il apportait une photo de moi à ses malades qui la demandaient. Et il me disait : « Tu leur fais autant de bien qu'un médicament. Finalement tu es devenu le médecin que tu aurais dû être. » C'est le seul vrai compliment que j'aurai reçu de lui.

Quand je prends le train, je mets une casquette. J'en fais collection. Elles sont l'accessoire qui efface pendant quelques heures la célébrité, le synonyme d'un moment de vacances, en somme. Même si cela ne me gêne pas d'être reconnu. Un bonjour, un sourire sont l'agrément du voyage. Sortir signifie pour moi être identifié : « Ah ! Michel Drucker ! » « Comment ça va, monsieur Drucker ? » Trois mots, deux minutes, par hasard. La semaine dernière, je remontais le couloir d'un wagon quand j'ai aperçu une dame en train de lire. C'était mon livre. Je suis resté sidéré devant son visage absorbé par mon histoire. Qu'un inconnu puisse s'intéresser à moi, partager ma vie m'a paru magique, comme un chanteur qui entend pour la première fois sa chanson sur les ondes. J'ai failli aller lui tapoter l'épaule mais finalement j'ai préféré continuer mon chemin sans troubler cette image. Je suis allé m'asseoir à ma place face à une dame qui lisait un autre livre. S'il y a des gens qui vous reconnaissent et vous saluent, d'autres préfèrent vous ignorer tout en sachant qui vous êtes. En général, ce sont des gens plus chics qui lisent *Le Monde*, *Le Figaro*, *Libération* ou le dernier Houellebecq. Je me suis installé sans gêner la lecture de cette passagère mais cela n'a pas suffi à sa tranquillité. Un voyageur, un contrôleur m'ont reconnu et se sont arrêtés : « Monsieur Drucker, alors, PSG ou OM ? » … « Oh, je vous croyais plus grand ! » Certains s'assoient pour bavarder. Le contrôleur a voulu un autographe. Ces salutations, ces apartés ont duré presque tout le voyage, dérangeant la dame, mais elle n'a rien dit. À l'arrivée, en ramassant mes affaires, je me suis excusé pour le dérangement. Levant les yeux au ciel, elle s'est écriée :

— Mais comment faites-vous, moi je ne pourrais pas... Tous ces gens si familiers, sans arrêt. Quel métier vous faites !

J'ai souri.

— Ça ne me dérange pas, madame, je vous assure, ça ne me dérange pas du tout.

Et puis, rien n'est pareil depuis mon livre. Avant, les téléspectateurs me saluaient sans me connaître, maintenant certains me parlent parce qu'ils m'ont lu. Leurs avis, leurs regards, leurs silences m'en disent beaucoup plus long qu'avant. Notre conversation a commencé sur du papier. C'est un bonheur que je n'aurais jamais pu imaginer. Une fierté. J'ai toujours cru que je ne serais qu'un homme de télévision, ce n'est plus tout à fait vrai. Je ne suis pas un écrivain, un écrivain pour moi est un homme seul avec ce qu'il écrit, on ne le reconnaît pas forcément dans le train. Mais je fais quelque chose avec les mots et mes vérités, mes souvenirs. Je travaille, je découvre. Moi, un homme de l'image, je suis entré dans l'écrit à soixante-cinq ans. Et pour un Drucker, ce monde de l'écrit, c'est plus beau qu'une Légion d'honneur. C'est la trace dont mes parents rêvaient.

Je n'aime pas les salons du livre. Je m'y suis vu à côté d'hommes de lettres qui consacrent leur vie à leur œuvre. Ils signent quelques dizaines de livres quand j'en vends beaucoup plus devant une foule. Certains en sont gênés parfois, moi toujours. Je vais essayer de ne plus y aller. De toute façon, ma mère ne comprendrait pas que je puisse vendre plus de livres que Jean Daniel, son idole.

Pour les dédicaces en librairie, en revanche, je fais tout mon possible pour aller partout. La tournée a commencé en Normandie évidemment, chez moi, à Vire. J'y ai signé de dix-huit heures à presque minuit. J'ai vu défiler une bonne partie de la ville et des campagnes voisines comme un vendredi de marché, jour de grosse consultation au cabinet de papa. J'ai reçu ses clients, messieurs aux cheveux blancs qu'il a mis au monde, vieilles dames coquettes dont j'ai bien compris qu'elles avaient vraiment bien « connu » le « bon docteur Drucker ». Les ordonnances de mon père et la séduction d'Abraham ont laissé des traces dans le département. Des veuves m'ont soupiré, rêveuses : « À l'époque où j'ai perdu mon mari, votre papa m'a bien soutenue… » Papa n'était pas seulement doué pour la médecine.

Quelques mois plus tard, j'ai voulu aller signer à Loudéac, dans les Côtes-d'Armor – de mon temps on disait les Côtes-du-Nord –, à quelques kilomètres de Plémet, le bourg où ma mère s'est cachée durant la guerre, de 1942 à 1945. Le village où Jean Le Lay, le père de Patrick, ancien patron de TF1, nous a pris jadis sous son aile. J'aime rappeler que, sans cette famille, la mienne aurait sûrement été anéantie. Et je ne n'oublierai jamais le jour où Patrick m'a invité à me recueillir sur la tombe de ses parents.

Quand je suis arrivé à Loudéac, le maire m'a lancé : « Michel, il faut absolument passer voir notre doyenne… » Je suis donc allé saluer une vieille dame dans sa centième année, impeccable, pleine d'énergie, qui en paraissait vingt de moins. Elle m'a confié que sa petite fille était partie aux Amériques voir « un certain Oscar ». C'était la grand-mère de… Marion Cotillard.

Je suis aussi allé signer à Saint-Sever, tout près de Vire. Et j'ai achevé la boucle du passé en poussant jusqu'à la forêt. Non loin de l'étang, une plaque marque l'emplacement où mon père a été arrêté en 1942 par la Gestapo. Des forestiers m'ont reconnu et sont venus en parler avec moi.

Les lettres les plus émouvantes, les témoignages les plus sincères viennent de gens que je ne connais pas. Les regards, aussi. Juste les regards. Ceux de personnes âgées sur un quai, le clin d'œil de la marchande de journaux, de la petite étudiante qui me vend ma pomme et mon sandwich. Ils me sont de plus en plus précieux. Aujourd'hui, si je ne devais garder qu'une seule chose de ma vie, avec ceux que j'aime, ce seraient eux, tous ces inconnus connus un instant.

*

Demain revient le 18 avril. Je redoute d'aller au cimetière. En général je n'y entre pas, je préfère en longer les murs. À vélo, le week-end, je ralentis à l'angle de l'avenue Henri-Martin et du Trocadéro, je sais que tu es là, de l'autre côté... Mais, chaque 18 avril, je viens sur ta tombe. Mon cœur s'accélère place de l'Alma, mon coup de pédale devient tendu. Je ne ressens pas cette oppression quand je vais voir maman à Eygalières ni sous l'olivier de Maussane dans le dernier jardin de papa au pied des Baux. Probablement parce que les cimetières provençaux sont gais, pleins d'air et de cyprès sous le soleil, avec les Alpilles si proches qu'on pourrait les toucher.

Je ne te voyais pas ici, à Passy, dans ce cimetière un peu mondain du XVIᵉ arrondissement, mais c'est secondaire. Je t'aurais plutôt vu dans le petit village de notre Provence. Quand je viens sur ta tombe, chaque fois, j'ai l'impression que le chagrin serait moins pénible au soleil, comme dans la chanson de Charles. Et je voudrais t'emmener aussi. De toute façon, après ma mort je veux être à côté de toi. En Provence. C'est là-bas que nous avons donné à nos parents les

180

preuves de notre réussite en achetant nos premières maisons. Maussane, Mollégès, Eygalières…
Papa, maman, toi et moi, un jour nous nous y
retrouverons comme avant.

J'écris pour prolonger les liens. À travers ce
livre, j'aimerais que les gens connaissent Jean
Drucker. Tous les patrons de la télévision que j'ai
connus sont oubliés. Je veux laisser ta trace, maintenir le flambeau avec Marie. Dans quelques jours,
nous présenterons tous les deux les Molières qui
tombent un 23 avril, le jour de tes obsèques. Je ne
voulais pourtant plus m'en occuper, j'ai trop vu
cette guerre entre théâtre public et théâtre privé
à coups d'invectives d'ayatollahs. Avec Marie, nous
allons y retourner pour toi. Elle, toi et moi. Dans
le programme de la vingt-quatrième édition, il y
aura une photo de Jean Drucker et la chanson
de Jean Ferrat « Tu aurais pu vivre encore peu »
accompagnera la séquence des disparus. Nous te
rendrons hommage en saluant ta mémoire : il n'y
aurait pas eu de Molières sans toi. Marie m'a prévenu qu'elle serait trop émue pour dire un mot.
En 1985, tu n'es resté qu'un an à la tête du service
public, nommé par Mitterrand avant d'être dégagé
par la cohabitation, juste le temps de lancer les
Molières sur Antenne 2. Georges Cravenne m'avait
demandé de te recommander cette émission et tu
as voulu que je la présente. Ce fut notre premier et
dernier enjeu télévisuel, le seul, ensemble.

En ce début de printemps, le paysage audiovisuel bruisse de rumeurs. Patrick de Carolis va-t-il
rester ou être remplacé? Chaque candidat affûte
sa stratégie. Le projet du Président a fuité dans la
presse, son visiteur du soir Alain Minc a vendu la
mèche, Nicolas Sarkozy en a été furieux, maintenant tout est reporté, incertain. L'avenir du service public continue de se jouer. Le Président m'a
dit : « Si tu savais comme ton frère me manque ! »
Il t'aurait convoqué depuis longtemps et tu
m'aurais peut-être appelé à tes côtés pour former
un commando à la Desgraupes, comme à l'époque
des pionniers de l'ORTF. Le duo Jeannot et
Michou, les Drucker Brothers, avec une bande de
copains fous de télévision.

Avec toi, j'y serais allé.

Il est question que Stéphane Courbit, producteur de téléréalité, pèse sur le service public en
rachetant la régie publicitaire, associé à Publicis.
Lui qui a fait fortune avec « Loft Story »… Toi, tu
n'aurais pas oublié que son premier prime time,
« Les enfants de la télévision », a été créé par
France 2 – au temps de Jean-Pierre Elkabbach
grâce à la regrettée Beatrice Esposito – avant de
passer sur TF1 pour un pont d'or.

Les paradoxes, tu t'en souvenais toujours. Des
talents aussi. C'est toi qui as engagé Patrick de
Carolis pour piloter la rédaction de M6, lancé
Laurent Delahousse et Michaël Youn avec son
« Morning Life » tonitruant. Tous les trois s'en

souviennent, contrairement à d'autres. Oublier, c'est comme de ne pas dire merci. Il y a ceux aussi « qui ne vous pardonnent pas de les avoir aidés », comme dit justement Philippe Bouvard.

Ce matin, j'ai reçu beaucoup de textos. Alain Delon : « Je pense à toi. Je sais que le 18 avril est un jour difficile. » Des copains : « Je n'ai pas oublié ce que Jean a fait pour moi. » J'ai eu Marie au téléphone et sa mère Véronique aussi. Je vais voir les fleurs qu'elle a laissées sur ta tombe.

Je continue à dire à maman : « Tout va bien. » J'aime l'idée qu'elle nous croit associés. Je lui parle toujours en disant « nous », « Jean et moi ». Elle ne sait pas que tu es mort sept ans après elle, voilà sept ans, sept ans aujourd'hui. Quatorze ans sans elle, sept sans toi. Heureusement qu'elle est partie avant, elle n'aurait jamais pu supporter ta mort.

> *Jean Drucker*
> *1941-2003*

Rien d'autre n'est écrit sur la pierre. Je cherche. Qu'est-ce qu'on aurait pu faire graver ? J'aimerais trouver ton épitaphe.

> *Jean Drucker*
> *L'homme qui croyait à la télévision*

Rappelle-moi

Ou le vers de Jean Ferrat :

Tu aurais pu vivre encore un peu
Mon fidèle ami, mon copain, mon frère

Il fait beau, le même soleil que le jour de l'enterrement. Je n'aime pas les pierres tombales. Quelle que soit la couleur du marbre, elles sont désespérantes.

La télé a été la part essentielle de notre vie. Qu'est-ce qu'on ne lui aura pas donné à la télé, hein ? Tout ce temps, cette fureur, cette passion, tant d'heures et de mots. Tant d'efforts et de projets avec l'espoir de bien faire.

Jean Drucker
Énarque et saltimbanque

Et sur ma tombe, je ferai graver :

Saltimbanque et frère de Jean

Bonjour, mon Jeannot.

Notre sport favori du dimanche soir, c'était rire et se moquer. Qu'est-ce qu'on a pu se foutre de leurs gueules... Publicitaires, éminences grises, conseillers du prince et visiteurs du soir, avec leurs convictions à géométrie variable, ils y sont tous passés. Tu savais trop bien qui ils étaient et

184

combien tant de choses dépendent du pouvoir et de l'argent. Toi aussi tu en dépendais. Le jour, par stratégie, par obligation, tu savais prendre leurs roues. Mais le soir entre nous tu redevenais libre, homme de gauche comme nos parents, cette gauche de Jaurès et de Mendès France où il est naturel de penser aux autres autant qu'à soi. Jamais tu n'as été vendeur de vent ou conseiller d'un pouvoir fatigué. J'en ai vu pourtant, à ton enterrement, mais je ne les ai jamais plus croisés sur ta tombe. Ils ne te manquent pas. Tu avais plus besoin d'eux que moi. Moi, je dois beaucoup à Mme et M. Tout-le-Monde. Leur fidélité et leur amitié m'auront sauvé de tous les marchands, des obsédés du jeunisme, du racisme de l'âge, de la « cible » et de l'audimat, autant de mots apparus au milieu des années quatre-vingt quand la privatisation et les *media planners* sont venus chasser sur nos terres d'origine, le service public. L'audience indéfectible de trois générations de ménagères a été le trésor de ma liberté et m'aura protégé de tout.

Souvent, je voulais t'engueuler de laisser les décideurs et les réseaux t'étouffer. Sans me rendre compte combien ils te rongeaient déjà. Mais tu me répondais : « Il y a les contingences. Je suis obligé de passer par tout ça... » Avant de conclure : « Surtout ne rentre jamais dans l'appareil. C'est comme en politique, on a tout à y perdre, ses illusions, ses amis, sa santé et parfois même sa famille. On s'épuise à faire des concessions jusqu'au jour où on ne peut plus se regarder dans la glace. » Jusqu'au jour où on doit s'incliner devant « Loft Story »…

Mon Dieu, comme tu as été malheureux à cette époque ! Violemment contre face à tes actionnaires violemment pour. Ils s'en sont vite détachés et TF1 s'est jeté dessus. Aujourd'hui, comme je regrette que tu ne puisses pas voir l'effondrement de la téléréalité du vide.

Tu étais triste quand tu es mort. Déprimé. Je crois que tu n'avais pas beaucoup de vrais amis, Jean. Ils n'ont pas été nombreux, quelques années auparavant, à te téléphoner pendant ta traversée du désert et tes six mois de chômage après avoir été viré d'Antenne 2 en 1986… Mais nous deux, quand j'y pense, qu'est-ce qu'on aura ri, mon Jean dupe de rien.

Tu disais : « Je ne suis pas un P-DG comme les autres, je suis le frère de Michel Drucker. » Marie, longtemps, on l'a appelée « la nièce de Michel ». Maintenant, on dit « Michel, l'oncle de Marie ». Certains croient même encore que je suis son père ! Ça te faisait rire. Nous n'avons jamais été rivaux, sauf pour quelques flirts, mais c'était il y a si longtemps… Ensuite, nous avons joué à cache-cache aux quatre coins du métier. Tu es arrivé en 1970 à la SFP, sortant du ministère de la Culture d'André Malraux et de Jacques Duhamel. J'étais à la télévision depuis cinq ans, après une sévère éclipse en 1968, viré par le Général. Quand tu es arrivé à RTL, j'en partais. Nous nous sommes suivis sans jamais nous rattraper, sauf un an sur Antenne 2.

Quand je t'ai offert un vélo pour faire un bout de route en Provence avec moi, te sortir de l'asphyxie du travail, tu y as à peine touché. Je l'ai donné à mon ami Claude Sérillon – je sais que tu l'aimais beaucoup. Aujourd'hui, Claude et moi nous travaillons ensemble et pédalons parfois sur les routes de Provence.

Comme tu me manques, Jeannot. Mais ta mort me dope. Tu me vois, tu me suis, tu m'écoutes? Je te bluffe, avoue que je te bluffe encore, en tout cas c'est mon but. À titre posthume, je te dois ma carrière depuis sept ans. Mon retour sur Europe 1, mon besoin d'en faire trop, d'aller plus loin, c'est pour t'épater, toi et Dany. Pour t'entendre un 18 avril me dire « Bravo, Michou » comme avant, percevoir ton rire sous ton sifflement d'asthmatique.

Je ferai d'autres livres, d'autres émissions. Vieux, très âgé mais pas gâteux, j'irai présenter en fin de soirée les archives oubliées de cette télévision qui se confond avec ma vie. Je ne ferai probablement plus guère d'audience à minuit, mais je parlerai de nous, de Desgraupes, Zitrone, de Caunes et Darget, Romy Schneider et Thierry Le Luron, Claude François, Jean Ferrat... Serrault et Poiret. De Funès et Sophia Loren. Jean Yanne et Jacques Martin. Philippe Noiret et Jacques Villeret. Coluche et Desproges. Un jour même, coup de folie, je t'ai dit que je voulais monter sur les planches pour amuser les gens autant que tu m'as fait rire en me racontant la comédie humaine des allées du pouvoir.

Même quand il fait beau, j'ai froid dans ton cimetière.

Je revois la silhouette de mon frère traverser la rue presque en courant, jeune homme un peu ténébreux, pour aller découvrir à la Pagode les films du monde entier. Sa vraie nature était artistique. Quarante ans plus tard, ce jeune homme est mort, pas seulement d'un arrêt cardiaque consécutif à une crise d'asthme, d'une inaptitude au bonheur, d'une passe difficile dans sa vie, ce gentleman est mort de lucidité. Jean est mort déchiré d'avoir compris. D'avoir vu, d'avoir su, jusqu'à éprouver une sorte d'asphyxie. Il cherchait l'oxygène.

Longtemps j'ai gardé le dernier appel de Jean, sa voix. Deux mots, toujours les mêmes : « Rappelle-moi. » On peut garder des textos presque indéfiniment, je crois. Mais pas la voix. Un jour elle s'efface sans que l'on sache quand ni comment, elle s'évanouit. Il ne reste plus rien de l'appel. Lui aussi a disparu.

Quand je vais au Stade de France ou au Parc des Princes, je me dis : mince, sans toi, c'est dommage… toi qui aimais tant le foot. Et je veux aller signer ce livre à Vesoul car c'est la ville où tu as fait ton stage de l'ENA, à la préfecture de Haute-Saône.

La semaine dernière, j'ai été déjeuner rue de Valois avec Frédéric Mitterrand – il est devenu ministre de la Culture. Dans un corridor, j'ai vu alignés les portraits de ses prédécesseurs depuis André Malraux. Tu aurais très bien pu leur succéder. Mais si. Je serais venu de temps en temps à vélo, je l'aurais laissé au pied de l'escalier du Palais-Royal. L'huissier serait devenu un copain et je serais monté remplir ma gourde dans ton bureau ministériel, comme en Provence. Dans mille endroits, tu es là. Mille possibles anéantis. Tant de fils continuent de se croiser sans toi. Cette toile m'obsède comme dans les films de Claude Lelouch. Partout.

Marie non plus ne reçoit plus tes appels après chaque émission. Je t'ai remplacé auprès d'elle, elle t'a remplacé auprès de moi, nous nous envoyons des textos par dizaines. « Ah, si Jeannot était là ! » Après un reportage qu'elle a aimé : « J'aurais tellement voulu que papa voie ça ! » Et moi pareil : « Dommage que Jean… » Une pensée quotidienne nous tient à toi.

C'est toi qui m'as fait découvrir le cachemire et les chemises sur mesure. Jean-Claude Brialy et

189

Gérard Blain. Appris que *Le Monde* était en kiosque à 14 heures. Toi qui m'as fait découvrir la cuisine thaïe, les premiers écrans plats, les Weston, les caleçons à fleurs, le design danois, la Cinémathèque d'Henri Langlois, le Théâtre national populaire, Régis Debray et Cuba, le Zan et les Tic-Tac, les Ray-Ban, le saint-émilion et les Girondins de Bordeaux, moi qui étais plutôt Saint-Étienne.

Il m'aura fallu près d'un an avant de pouvoir commencer à remercier d'un petit mot tous ceux qui m'ont envoyé quelques lignes à ta mort. Il n'y a pas un jour où on ne me parle de toi ; dans mes déjeuners en semaine, pas un restaurant où un serveur ne me rappelle mon frère. Au George-V, le maître d'hôtel qui s'occupait de ton petit déjeuner professionnel du week-end à l'abri des regards va sur ta tombe de temps en temps. Ton chauffeur me fait signe parfois, ta secrétaire Nicole aussi.

Tu serais content, Léa, notre nièce, tourne avec Marcel Bluwal. Tu te rends compte, Bluwal ! Quatre-vingts ans ! Un des mousquetaires des Buttes-Chaumont à la grande époque de la SFP. Et il n'a rien oublié ; le soir en la quittant il lui dit : « Tu embrasseras Michel et je n'ai jamais oublié Jean. »

C'est étrange, dans ce cimetière, je connais presque tout le monde en fait. Pas loin de toi, un

peu plus haut, se trouve la tombe de Marcel Dassault qui m'avait engagé à *Jours de France*, l'ancêtre
de *Gala,* en me disant de sa voix nasillarde
d'homme frileux : « Vous savez, je vous regarde le
dimanche et j'aime vos émissions bien mises. Elles
sont cravatées. Vous allez me faire des papiers
comme ça, comme vous, en cravate... Si une
actrice a un grand nez, vous direz qu'elle a de
beaux cheveux... » Un peu plus haut, au-dessus de
Marcel Dassault, repose Maurice Genevoix. Quand
l'académicien m'avait donné rendez-vous pour
RTL un jour à Orléans, sa ville natale, de sa langue
assez verte il m'avait fait : « Cher ami, retrouvons-
nous sous les couilles de Jeanne d'Arc ! » En
effet, devant un café du centre-ville, la pucelle
chevauche un destrier bien membré.

Plus loin, c'est Francis Bouygues. Lui, en
m'engageant, avait été direct : « Vous croyez que
je pense à vous parce que vous êtes populaire ? Pas
seulement... Je vous prends pour l'image ! Je n'ai
pas que de la lessive à vendre avant vingt heures,
après j'ai aussi des voitures de luxe ! »

Tout revient quand je ferme les yeux. Le flash-
back de tes obsèques. Les deux planètes, saltimbanques, petites mains et techniciens d'un côté,
vedettes, gradés et officiels de l'autre. Et pas mal de
gens venus me remonter le moral. Tout le paysage
audiovisuel, de la maquilleuse aux actionnaires.
Deux ministres de la Culture. Près de deux mille

personnes. M6 est toujours dirigée par Nicolas de Tavernost et Thomas Valentin, ta chaîne est même devenue la plus novatrice du PAF. Et tu ne vas pas le croire, TF1 est en crise depuis le départ de Patrick Le Lay et Étienne Mougeotte, attaquée de plein fouet par la TNT à laquelle l'état-major d'Issy-les-Moulineaux n'a pas cru. Hier, la plus puissante chaîne d'Europe... aujourd'hui souvent dominée par le service public en première partie de soirée. Des certitudes vacillent. D'autres s'imposent. Des techniciens ont pris leur retraite, ceux qui sont encore là parlent de toi à Marie. Même PPDA a fini par quitter son fauteuil du 20 heures ; en le faisant partir TF1 a perdu un repère.

Le 18 avril 2003, le service funèbre nous avait donné des consignes : « Après avoir déposé une fleur, vous quitterez le cimetière discrètement. » La cérémonie a été simple, sans office religieux, avec les discours de Jacques Rigaud, le patron de RTL, Nicolas de Tavernost et ton ami Alain Suss-feld, qui dirige UGC. Nous nous sommes éloignés de quelques pas avant de nous arrêter, un peu perdus, sans pouvoir nous séparer, Dany, Stéfanie, Véronique ta femme et la mère de Marie, Marie, Jacques et son épouse Maryam, Léa, Philippe Allain mon fidèle beau-frère, Anaïs ta dernière compagne et la maman de ton fils Vincent. Natu-rellement, ceux qui suivaient nous ont présenté leurs condoléances... Et nous sommes restés deux heures au bord de cette allée à serrer toutes ces mains. Des centaines de mains, de visages, dans le brouillard du deuil.

Ta fille, comme par hasard, chaque 18 avril, ne se sent pas bien. Rien de grave, Jean, rien de grave. Elle assure toujours. Et je peux te promettre qu'elle marquera la télévision comme l'ont marquée avant elle Christine Ockrent, Anne Sinclair ou Claire Chazal. Sans que l'on sache pratiquement rien d'elle. Moi je sais. Même si nous ne nous parlons pas beaucoup d'autre chose que du métier – toujours cette fichue pudeur, comme avec toi –, je la devine et je veille sur elle.

Devant une tombe, se souvenir devient brutal. Je retrouve Vire, notre maison de la place de la Gare, le linge tendu sur les fils de la courette arrière, le petit chantier de granit à côté de chez nous. Chaque jour, deux ouvriers italiens taillaient des pierres tombales dans la poussière. Nous allions les regarder faire. J'entends cogner leurs burins. Et je vois tes billes ricocher contre le muret. Ah, tes billes ! Les billes de Jean. Personne n'avait le droit d'y toucher. Tu les rangeais dans un coin de la chambre, comme une collection de perles, tu faisais briller ce butin, ton premier trésor, tes rêves. Elles avaient toutes les couleurs des opales. Chaque 12 août mon bonheur était de t'en offrir pour ton anniversaire. D'époques entières on croit qu'il ne reste rien et puis soudain un moment surgit. On le revit, on y retourne. Tes billes, je les tiens dans ma paume.

Le 12 août, c'est l'été et mon cœur cogne. Le 12 septembre, mon anniversaire à moi a un goût d'encrier, c'est un jour sombre trop proche de la rentrée des classes. Chaque fois, la paire de chaussures de foot ou le ballon, les parents me les offrent en soupirant : « Compte tenu de ton bulletin, Michou, tu ne les mérites pas. Mais nous espérons que tu vas te ressaisir. C'est pour t'encourager… » Un calvaire, ces cadeaux conditionnés à d'impossibles résultats scolaires. Tandis que toi, le 12 août, tu as même la veine d'être né au beau milieu des vacances, loin de l'école. Avec toi on peut vivre la fête sans l'ombre d'un nuage. Papa et maman peuvent te gâter, nouveau pantalon, chaussettes assorties. Je reluque le blazer chic, ce vestiaire de l'élite que tu rejoindras bientôt. D'ici à un an ou deux, à coup sûr, moi je vais les récupérer. À cette époque, dans les familles de trois garçons, le cadet met ce que l'aîné ne porte plus, mais enfin toi tu les recevais neufs.

Comme chaque année maman nous prévient, Jacques et moi : « Ce soir ne revenez pas trop tard de la piscine… Votre père aussi rentrera de bonne heure. » Dans le placard de la cuisine, le mille-feuilles et les bougies sont cachés. Tout est prêt. Tout est parfait pour Jean. Et chaque 12 août, dans mon costume du dimanche, je fonce au magasin de M. Leroux. M. Leroux tient un bazar, un de ces bazars fabuleux aux yeux d'un gosse de province. Chez lui il y a tout, jouets à pas cher, Carambar et roudoudous, bubble-gum de toutes les couleurs dans un distributeur à robinet, le festival des farces et attrapes, boules puantes et pétards du 14 Juillet.

Pour les billes de Jean, j'économise longtemps sur mon argent de poche. À M. Leroux, j'annonce la grande nouvelle annuelle.

— C'est l'anniversaire de Jeannot !

— Ne t'inquiète pas, j'ai ce qu'il te faut.

— Combien de billes je peux avoir avec ça ?

— Ah ! Michou, tu n'as pas assez, les nouvelles billes américaines, elles sont très chères... Écoute, voilà ce qu'on va faire, je te donne quand même le gros sac qui vaut le double du petit et tu me paieras quand t'auras l'argent... Je te fais un paquet-cadeau.

M. Leroux est allé chercher du beau papier. Il a mis longtemps. Je le revois me tendre un magnifique paquet.

— Tu le tiendras bien par là, par le ruban, c'est solide comme ça.

Sur le chemin de la maison, je cours à perdre haleine. J'imagine les grands yeux de Jeannot devant des billes de compétition. Pour aller plus vite je vais couper par le chantier de granit. Du chantier, une petite porte donne sur l'arrière de notre cuisine, je n'aurai pas à passer par l'entrée du cabinet de consultation, personne ne me verra filer avec mon trésor de guerre.

Le soleil commence à descendre, je cours, je cours et je tombe. La tête en avant, je m'empale le visage sur l'angle d'une pierre tombale. Soixante ans plus tard, j'ai toujours un trou à cet endroit que Nelly, ma maquilleuse, connaît bien. Ma pommette droite explose, au-delà de la douleur. Sur le coin d'une dalle, pareille à la tienne, ici, à Passy. Par terre il n'y a pas de sang mais je sens l'hématome gonfler, mon œil m'aveugler. Mon regard n'est plus qu'un trait enflé. À toute vitesse, ma pommette atteint la grosseur d'une orange. Une boule noire de sang me fait loucher. Je me relève, j'avance, je me traîne vers la petite porte. Borgne. Soudain je vois maman hurler au milieu de la cuisine. Elle appelle la maternité où mon père fait un accouchement. Ma mère crie dans la cuisine, mon père va venir, la tête me tourne, je m'assois, mon père arrive. Il souffle. Il tousse. Il demande un sac de glace et une pelle à tarte pour résorber l'hématome, il m'allonge sur le canapé. Au bout de mon bras droit, caché, je tiens serré mon sac de billes de compétition. Je ne vois qu'une moitié du plafond, floue. Papa ouvre son armoire. Papa cherche une veine dans mon bras. « Détends-toi, Michou, je vais te piquer mais ça va aller, mais enfin qu'est-ce que tu tiens là ? ». Je ne veux pas lâcher mon sac de billes, je ne veux pas lâcher mon sac de billes. Je ne veux pas… Je ne sais plus.

Quand je me suis réveillé à la clinique, j'avais toujours mon sac de billes et, quand tu es venu me voir, je te l'ai donné.

C'était pour toi.

Tu étais exactement comme sur la couverture de ce livre. Le même âge, la même tête, frérot. C'est ce moment-là exactement. Rien qu'en voyant le coin de ta pierre tombale, j'ai mal. Tu t'en souviens du sac de billes, au moins ? Je touche mon visage. Sous mon doigt, sous la peau, il y a toujours ce trou, cette enfance qui m'explose à la gueule.

Jean, qui vient te voir quand je ne suis pas là ? Ton petit garçon, Vincent il vient ? Véronique a dû me précéder, je reconnais ses fleurs. Marie passera tout à l'heure. À la Toussaint, il m'arrive parfois d'apercevoir des femmes que je ne connais pas ; elles me saluent discrètement avant de s'en aller, un peu comme si elles se sauvaient. Un homme, même un frère, s'en va avec des secrets.

Jean, pourquoi es-tu encore là et pas à Eygalières ? Avec maman et notre sœur Monique. Elle était notre aînée à tous, la première, morte à moins d'un an étouffée dans son oreiller. Pourquoi tu es ici ? Si je n'ai pas pu nous réunir dans la vie, bientôt j'espère le faire pour toujours. Un jour je demanderai à la veuve de notre père de permettre qu'il revienne au côté de maman à Eygalières. Ensuite j'irai demander à Véronique, Marie et Anaïs de te laisser redescendre là-bas, avec nous. Mais je n'ai pas encore osé.

À tes obsèques, j'ai vu des gens que tu n'aimais pas. À moitié assommé, j'ai pensé : tiens il est là, lui… et lui aussi. Je les connaissais tous, tu m'en avais parlé. Et celui-là aussi est venu, le chagrin ne doit pourtant pas l'étouffer. Tu disais : « Michou, il y a des gens qui ne vivent plus que pour leurs intérêts personnels, plus rien d'autre ne compte, rien. » Qu'est-ce que tu as pensé de toutes ces larmes, vraies et fausses ? Toi qui cachais tant d'humour sous trop de pudeur. Peut-être aurais-tu préféré une fanfare comme dans les comédies italiennes, un quatuor d'énergumènes à la Sordi, Manfredi, Gassman et Mastroianni ? Un moment qui nous ressemble, et nous rassemble, nous qui pouvions rire de tout à la fin, sans savoir que c'était la fin.

Est-ce qu'on a su te dire au revoir ?

Moi, ce jour-là, je n'ai rien dit. J'aurais pu trouver un extrait de livre, un poème, mais on ne m'a rien demandé non plus. Qu'est-ce que tu aurais voulu, toi ? J'aurais aimé avoir la liste de ceux que tu ne souhaitais pas voir. Pas la peine, au fond je les connais. Dans sa tombe, un homme devrait être enfin libre de réunir uniquement ceux qu'il a aimés. Personne d'autre. Ses proches et les anonymes qui veulent bien venir.

Deux mille personnes, c'était la foule d'une vie où se mêlaient, comme la joie et les soucis, autant de vrais que de faux amis. Une vie de relations. Avec une exception. Parmi les anonymes se trouvait aussi un homme que tu ne connaissais pas, ni moi non plus. Je l'ai embrassé sans le voir. Physiquement c'était pourtant le portrait craché d'Abraham Drucker à cinquante ans. Je ne sais pas comment t'en parler, Jean, mais je crois que je ne vais pas pouvoir garder cela pour moi. Je dois trouver les mots avant la fin du livre. Un secret de famille, c'est souvent une histoire d'amour. Je réfléchis, tu sais comme je suis. La gamberge…

Tu as été incinéré à l'hôpital de la Timone, à Marseille. Cela m'a surpris mais je n'ai rien dit. Tu avais laissé des consignes, vraiment, pour être incinéré puis enterré au Trocadéro? Moi, je ne me vois pas en cendres dans une urne. Le soleil n'y pénètre pas. Je veux être avec maman et toute la famille, voir le ciel, le soleil, sentir le mistral face aux Alpilles.

Tu en avais trop sur le cœur. Ça t'a tué. Un soir mauvais, peu avant ta mort, tu m'as lancé : « Quoi, tout ça pour ça? J'ai fait Sciences-Po et l'ENA pour ça! » Alors j'ai commencé à préparer notre plan d'évasion…

Mais c'était trop tard.

Depuis ta mort, étrangement, j'ai envie de dire des choses que je n'aurais jamais osé dire avant, de le faire en ton nom. On se ressemblait trop. Tout ce que tu n'as pas dit, il faudra que je le dise un jour, tu serais si content. Avec le temps, l'expérience, la fréquentation des gens que tu as connus avant moi, je mesure aujourd'hui combien tu as dû rager de devoir fermer ta gueule. Langue de bois, langue d'énarque. Moi aussi j'en ai assez d'être sous contrôle, en permanence sur les freins. Mais je suis tellement moins doué pour ça que Laurent Ruquier ou Thierry Ardisson. Subitement j'aurais l'air de quoi ? Du vieux con qui crache dans la soupe ? Je ne sais pas. Ça me taraude. Je gamberge. Tu en penses quoi, dis ?

Je fréquentais la création, toi l'appareil. On se partageait. Parfois, tu rentrais d'une réunion d'actionnaires avec une sale tête. Tu sifflais entre tes dents, glacial, crachant ton asthme : « Ils ne savent rien... Ces gars de trente ans, cadors du marketing, ils n'ont aucune culture, aucun plaisir, ils n'ont jamais rien lu, si tu savais Michou, si tu savais... »

Tu me jetais ça le dimanche soir, pendant que maman préparait sa poule au riz ou à une table de chez Marius et Janette, toujours la même, dans le petit salon à gauche. Tu te lâchais et le lundi matin tout était rentré dans l'ordre. Tu reprenais ton complet trois-pièces de patron.

Jean, huit millions de Français ont regardé les documentaires *Apocalypse, Deuxième Guerre mondiale*. Une des meilleures audiences de sport a salué une finale de handball où une bande de potes a mené le jeu, des athlètes qui ne touchent pas en un an ce qu'un footballeur de Barcelone ou du Real gagne en une semaine ! Dans les forêts de Van-

1975. Jean, jeune énarque directeur général de la SFP. La télévision ne le quittera plus.

Années 1990. L'émission «Télévision» sur TF1, animée par Béatrice Schönberg. La seule et unique fois où Jean et moi avons été réunis sur un plateau.

Mars 1987. Naissance de M6. Jean est un des plus jeunes patrons du PAF. La «petite chaîne qui monte» deviendra la grande chaîne qui gagne.

Autour du patron de M6,
Nicolas de Tavernost
et Thomas Valentin : le trio
qui a fait de M6 la première
chaîne chez les jeunes
et une des plus brillantes
réussites économiques
du paysage audiovisuel.

1986. Création de la Nuit
des Molières à la Comédie-
Française. De gauche à droite :
Georges Cravenne, leur
instigateur ; Jean, alors patron
d'Antenne 2 ; Jean Le Poulain ;
Jérôme Hulot ; Jacqueline
Cartier et le premier
présentateur de la cérémonie.

2008. À ma demande,
Nicolas Sarkozy, ami de longue
date de mon frère, inaugure
à M6 le studio Jean-Drucker.
Il improvise un discours
particulièrement émouvant.

2009. Premier direct
avec Marie, « Voyages
en Méditerranée »,
depuis l'Institut du monde
arabe. Elle stresse, moi aussi,
mais ça ne se voit pas.

1972. Claude François
me présente Dany
sur le tournage du show
télévisé « Avec le cœur ».
Il en pinçait pour elle…
Elle est devenue ma femme.

1977. Charles Aznavour
me fait chanter en duo
« Trousse-Chemise »
dans « La Grande Parade »
de RTL.

« La Parisienne » et le « Grand Charles », une complicité
et une amitié nées dans les années 1960.

Aznavour, l'homme que Johnny respecte le plus
dans le métier. Charles lui a écrit « Retiens la nuit ».

1965. Nous avons vingt-trois ans. Johnny en cuir, moi en col Mao, nous nous posons déjà la question : et demain ?

Johnny Hallyday et Eddy Mitchell.
Les deux derniers survivants des années rock'n'roll en répétition sur le plateau de « Champs-Élysées ».

Septembre 1998.
Préparation de l'arrivée en hélico de Johnny sur le Stade de France.
Cette ouverture du spectacle en plein ciel nous aura donné bien des sueurs froides.

Quelques jours avant ce tournage fou, j'emmène Johnny en repérage survoler le Stade de France.
Il n'imagine pas ce qui l'attend.

▌ Le fantaisiste Carlo Nell (ici à droite) m'a donné cette photo : à la fin d'un match de foot, Claude Brasseur et Bébel… qui n'avait pas encore commencé la musculation.

▌ Jean-Paul en vacances chez nous, en Provence, au milieu d'un nid de yorkshires… Et avec un ami à nous : Mimosa.

▌ À la terrasse du Café de l'Alma, nous préparons notre tête-à-tête à l'occasion de la sortie d'*Un homme et son chien*.

Trente-cinq ans après
Borsalino, retrouvailles
du Samouraï et de l'Homme
de Rio pour la sortie
d'*Une chance sur deux*,
de Patrice Leconte.
De leur légendaire rivalité,
Delon dit aujourd'hui:
« On a fini ex-aequo. »

Années 1975, sur le plateau des
« Rendez-vous du dimanche ».
Notre première télé
et le début d'une amitié
pas comme les autres.

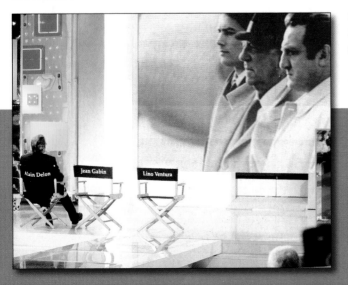

2008. « Vivement Dimanche »
spécial Gabin.
Delon aime à rappeler qu'il est
« le dernier des Siciliens ».

Compiègne, base aérienne 117. Mes classes au camp de Royallieu, de triste mémoire. Mon père y avait été interné en 1942.

Par GÉRARD LEFORT

Dans ces yeux-là

Simone Veil.
Image publiée
dans *Libération*
du 11 novembre.

C'est une photographie qui ne se discute pas mais qui nous parle à condition qu'on la vouvoie. Par respect pour celle qu'on y reconnaît. Sauf à être mal élevé, la question de son âge ne se pose pas. Celle de sa date (1953) éventuellement, puisque, pour cette femme, il y a eu un avant et un après. Cependant, ces yeux-là, les yeux de Simone Veil, sont intempestifs et indatables.

Ces yeux-là, ces yeux de revenant immémorial, ont vu un crime contre l'humanité. Ils ont vu ce que ni cette femme ni quiconque n'aurait jamais dû regarder. Notamment, comme Simone Veil l'écrit dans sa préface à l'*Album d'Auschwitz* (1), l'arrivée de convois de Juifs hongrois au printemps 1944 au camp d'Auschwitz-Birkenau. Ce qui est littéralement phénoménal, c'est que cette arrivée fut photographiée par un officier SS. Comme si la logique d'anéantissement totale s'était un instant suspendue, même s'il s'agissait de dévisager avant de défigurer. Madame Veil écrit : *« C'est l'événement le plus tragique que j'ai vécu au camp d'Auschwitz-Birkenau. J'ai connu les lumières écrasantes et les regards écrasés de ces photos. J'ai vu, atterrée, ces visages décomposés, ces femmes qui portent les jeunes enfants et soutiennent les grands, ces foules, encore ignorantes de leur destin, qui marchent vers les chambres à gaz. J'ai connu le sourire incrédule de ces vieillards et la vaine détermination à survivre. Cet étonnement, cette innocence, cette incompréhension que chacun de nous, témoins muets, lisions sur leurs visages, ont ravivé des larmes que je pensais ne plus pouvoir verser. »* Les yeux clairs de madame Veil fixent l'objectif, par ricochet nous regardent mais, pour ainsi dire, passent au-dessus de nos têtes, et viennent puissamment nous réfléchir, sans aucune sorte de chantage à la culpabilité. Emmanuel Levinas écrivit : *« Le visage est le lieu d'une ouverture infinie de l'éthique. »*

Le regard fraternel et prudent de madame Veil est un beau regard éthique, un regard ouvert. Personne n'a pu l'écraser. ◆

(1) Editions Al Dente, 2005.

Cette photo de Simone Veil et ce texte signé Gérard Lefort, parus dans *Libération*, sont dans un cadre accroché au-dessus de mon bureau. Je les regarde tous les matins.

Mon copain, mon ami.
Jean Ferrat a failli
me faire virer de TF1.
Mais notre émission a battu
tous les records d'audience.

Colette et Jean à Entraigues.
Quand j'allais passer quelques
heures avec eux dans leur
jardin au bord du torrent,
que sa montagne était belle…

2009. Dernier passage
de Bernard Giraudeau
à «Vivement Dimanche».
Il nous parla sans tabou
de son cancer qu'il a combattu
pendant dix ans.

Mon seul diplôme avec celui de sténo-dactylo : ma licence de pilote d'hélico.
Aux commandes de la mythique Alouette 3, je passe ma qualif au-dessus du circuit du Castelet.

1990. Sur la base de Salon-de-Provence, je suis le parrain de la Patrouille de France et réalise un rêve de gosse : voler à bord d'un Alpha Jet tricolore.

Gilberte et Pierre Bérégovoy.
Sa mort et ses obsèques ont bouleversé ma mère et la France.
Quand la politique est sans pitié…

Germaine Domenech,
la maman du sélectionneur.
Son bouquet de violettes
est un des plus beaux
souvenirs de mes « Vivement
Dimanche » de la saison
passée.

Quand Carla Bruni participe
à « Vivement Dimanche »,
nous avons la visite surprise
d'un voisin venu à pied
de l'Élysée… à deux pas
du Studio Gabriel.

22 mars 2010. Au lendemain
de la défaite aux régionales,
rencontre au sommet entre
deux champions. Armstrong
vient offrir une petite reine
de compétition à Nicolas
Sarkozy pour le consoler.

■

En pleine revue de presse avec Guy Bedos,
l'idole de ma mère. Guy m'a appris le sang-froid
et le sens de la dérision en direct. Avec lui
sur le plateau, il en fallait.

■

Simone Signoret, la complice de Bedos, ici au
Festival de Cannes avec Jean. Je n'oublierai
jamais ce « Rendez-vous du dimanche » de juin
1978 où, à la veille du Mondial en Argentine,
elle avait demandé à Michel Platini et à l'équipe
de France de ne pas aller cautionner la dictature
du général Videla.

Pied de nez à la « ménagère de moins
de 50 ans », ce spécial « 4 fois 20 ans »
a battu tous les records d'audience.
F. Dorin, J. Piat, R. Carel, G. Garcin, M. Aumont,
A. Cordy, C. Renard, G. Casadesus, M. Dax,
M. Mercadier.

Un de mes derniers entretiens à l'Élysée
avec Jacques Chirac. Ce soir-là, il me parla
pendant vingt minutes de Bernadette.
Olga en fut toute bouleversée.

Trois générations de Chirac réunies et la première
apparition publique du petit-fils Martin.
Un « Vivement Dimanche » historique.

Olga, 1998-2008. Elle savait tout…
Elle n'a jamais rien dit.

couver, des skieurs de fond, au triathlon, parfaitement inconnus, ont ramené plusieurs médailles
olympiques à la France. Rien n'est jamais foutu. Il
y a encore de la place pour le plaisir, l'exigence et
la beauté du geste. Encore de quoi être heureux,
quand même, mon Jeannot.

Le week-end, maintenant, tu ne me piques
plus mes journaux.

Je dois te raconter aussi qu'en mars dernier
Isabelle Monnin m'a demandé un rendez-vous
pour *Le Nouvel Observateur* qui préparait un dossier : « Comment sont-ils devenus français ? » Elle
m'a prévenu que je serais sans doute ému de voir
les documents inédits qu'elle avait découverts dans
les archives nationales.
Devant moi et tous les Drucker en photo, dans
mon bureau du Studio Gabriel, elle m'a montré
une lettre par laquelle Abraham Drucker demandait sa naturalisation, en 1937. Elle enquêtait sur
des destinées aussi différentes que celles des
familles Gainsbourg, Minc, Cavanna, Montand-
Livi, Domenech, Chagall, Cendrars, Vartan… Et
j'ai découvert que notre père ne nous avait pas
tout dit. J'ai toujours su que nous étions « des
Français de sang-mêlé » selon la jolie expression
de Nicolas Sarkozy, et que papa avait demandé sa
naturalisation dans les années trente en arrivant
de sa Roumanie natale… Mais je n'imaginais pas

sa lutte acharnée pour être français. Mes parents ne le sont devenus que cinq ans avant ma naissance. J'ai le magazine sous les yeux. On y voit une photo, la seule de mon père à Vire devant la maison de la place de la Gare avec sa famille autour de lui, Jeannot, Michou, Jacky à quatorze, treize et douze ans. Et maman. Cette image figure dans le cahier photos de *Mais qu'est-ce qu'on va faire de toi?*. Sous le cliché sépia, *Le Nouvel Obs* publie des extraits des lettres de notre père.

« Je soussigné Abraham Drucker, docteur en médecine de l'université de Paris, m'engage à ne pas exercer la médecine en France... » Depuis ses Carpates, c'était pourtant son seul rêve. Il a tout fait pour y parvenir, y compris retourner en classe avec des gamins, repasser son bac à trente ans afin de valider son cursus d'études médicales. Tout au long des années trente, il est monté à l'assaut de la préfecture du Morbihan pour obtenir sa naturalisation.

En 1935 : « Je vous serais très reconnaissant de bien vouloir examiner la présente nouvelle requête, tenant à vous faire connaître que je serais désireux d'être incorporé dans la grande famille française, voulant ainsi essayer de m'acquitter de la dette de reconnaissance que j'ai contractée envers le pays qui m'a si largement ouvert ses portes... »

Son dossier est bon, son français impeccable. Le maire de Vannes et le préfet du Morbihan le

soutiennent, « des professeurs de médecine van-
tent son professionnalisme et sa francophilie »,
écrit la journaliste.

C'est non. Un an plus tard, en 1936, l'année
du Front populaire, papa récidive.

« Je réside en France depuis onze ans sans
interruption. Ma première demande date de 1930,
alors que j'avais vingt-six ans. Je me suis marié et je
m'engage sur l'honneur en cas de naturalisation à
aller résider aux colonies. »

Français, peut-être, à condition d'aller exercer
outre-mer, sans gêner en métropole. Le président
du syndicat des médecins de la Seine juge sa candi-
dature « sans intérêt », « sa situation ambiguë »…
« Il ne ferait qu'aggraver les inconvénients de
l'encombrement actuel de la profession médicale
en France. »

L'administration n'a pas donné suite.

Enfin, le 5 juillet 1937, Abraham Drucker a
versé au droit du Sceau la somme de 637,50 francs.
Il est devenu français. Mais il n'est pas allé aux
colonies, il a filé au fin fond du Calvados où durant
six mois sa plaque n'a pas attiré l'ombre d'un
client. Pas un chat. Pour le décourager et le ren-
voyer d'où il venait, l'étranger et ses valises, la
rumeur a couru à travers le bocage qu'il se livrait à
des avortements clandestins !

Papa ne nous a jamais dit à quel point sa naturalisation avait été longue, et difficile. En lisant
l'article, j'ai mieux compris soudain l'homme qu'il

avait été après-guerre. L'excellence comme seule voie possible. Cette obsession était son prix et son idéal pour près de quinze ans d'épreuve et d'attente... avant de donner à la France un Drucker serviteur de la République française. Sa revanche et son préfet, c'était toi, mon Jeannot. Notre père voulait te voir porter l'habit de ceux qui n'avaient pas voulu que nous devenions comme eux. Il a pourtant fini par le devenir. Pour un court répit. En 1942, la nationalité française ne l'a pas empêché d'être dénoncé à la Gestapo. Une fois prisonnier, ce Français tout neuf a survécu aux camps de Compiègne et de Drancy parce qu'il parlait... allemand et qu'il était médecin. Ses origines et sa passion l'ont sauvé.

Mais ce destin l'a hanté. La guerre achevée, mon père n'a eu de cesse de découdre cette étoile jaune jusqu'à ce qu'il n'en reste plus la moindre trace de couture.

Nous sommes nés Jean, Michel et Jacques Drucker, lui est resté Abraham. Sous ce nom qu'il rêvait de voir porter aussi haut qu'un haut fonctionnaire, un grand médecin et un artiste reconnu, ses trois fils ont fait leurs vies.

L'aîné est devenu haut fonctionnaire.

Le benjamin un grand médecin.

Et le cadet...

Jamais on ne m'a traité de sale juif en ma présence. Du plus loin que je m'en souvienne, ce n'est pas arrivé. Ni à l'école ni sur les plages près de Granville. Une seule fois, des années plus tard. S'il n'est pas mort, ce monsieur n'a pas pu l'oublier. C'était à l'ORTF. Pour la première fois de ma vie, je suis devenu fou furieux, hors de moi, je lui ai jeté un cendrier à la figure. Si personne n'était intervenu pour me ceinturer, je crois que j'aurais pu le tuer. Je ne me souviens pas, en presque quarante ans, de m'être battu physiquement depuis.

Notre père a dressé autour de nous un tel mur tricolore que personne n'a jamais pu le traverser pour nous faire le mal dont lui a tant souffert. Mes frères et moi n'avons même pas mesuré l'épaisseur de cette protection. Quand mes parents évoquaient cette mémoire-là, ils ne la partageaient pas avec leurs fils, ils se mettaient à parler en allemand teinté de yiddish. Une langue qu'ils ne nous ont pas apprise, eux qui pourtant voulaient nous rendre si savants. C'était leur langue d'avant, celle de l'errance et de la peur qui ne devait plus rien avoir à voir avec leurs enfants.

Jean, j'en apprends tous les jours.

Le Nouvel Observateur plié sous le bras, je suis sorti de mon bureau pour aller prendre ma voiture. Et, au premier feu rouge sur les Champs-Élysées, deux Roms se sont approchés de la vitre en tendant la main. Des Roumains, comme mon père dans les années trente. Si nous étions roumains aujourd'hui, ou ukrainiens, fuyant un pays lointain dans l'espoir d'une vie nouvelle, sans doute notre parcours du combattant serait-il encore plus dur que celui qu'ont connu l'interne Abraham et sa jolie infirmière Lola.

Le feu est passé au vert. J'ai remonté ma vitre, et le présent m'a repris.

Je suis allé dîner avec Karl Lagerfeld, l'homme le plus intelligent, le plus cultivé, le plus doué en tout que j'aie jamais rencontré. Il vient de dessiner le tailleur de Simone Veil – un Chanel évidemment – pour son entrée sous la Coupole parmi les Immortels. Le couturier a veillé personnellement aux essayages. Et il l'a trouvée « à peine aimable ». Lagerfeld ne savait pas, comme nous le savons dans les médias, que cette grande dame est d'un naturel réservé.

« Je me suis fait tout petit, m'a-t-il dit. Je ne voulais surtout pas me plaindre de la trouver si distante… Mais enfin quand même, au bout d'un moment, j'ai failli lui dire, je vous assure, madame… je ne suis pour rien dans l'Holocauste. »

J'ai ri, je n'ai pas pu m'en empêcher. Dieu sait pourtant comme Simone Veil brille dans mon panthéon. Si le couturier avait osé cette boutade, après une seconde, elle en aurait probablement ri.

*

Je continue de rire avec toi, souvent. Nous partageons encore ces moments-là. Lundi dernier, 22 mars, j'ai ri comme si nous étions ensemble. A priori, rien ne le laissait pourtant présager. Ce n'était pas un jour à plaisanter. Avec Lance Armstrong, devenu mon ami depuis le portrait que je lui ai consacré près d'un an auparavant chez lui dans le Colorado, nous avions rendez-vous... à l'Élysée. J'étais persuadé que le Président annulerait. Cette rencontre convenue un mois et demi auparavant tombait au lendemain du deuxième tour des régionales. Compte tenu de cette actualité, j'ai appelé la secrétaire :

— Vous me confirmez le rendez-vous ?

— Oui, absolument.

Je téléphone à Lance – depuis longtemps, il souhaite offrir un vélo de compétition à Nicolas Sarkozy, grand amateur de cyclisme et supporter de toujours : notre rendez-vous est donc maintenu.

Le second tour des régionales vire à l'hécatombe. Dès le lundi matin, je rappelle la secrétaire.

— Nous allons annuler, non ?

— Absolument pas. C'est maintenu, à dix-sept heures. Cependant, si vous vouliez bien entrer par la porte de côté, il y aura beaucoup de journalistes dans la cour d'honneur à cause de l'annonce du remaniement prévue à dix-huit heures. Le Président trouvera quelques minutes.

Il en a trouvé... cinquante.

Lance, son épouse, son manager, le vélo et moi sommes donc arrivés discrètement par la porte latérale de la rue de l'Élysée vers seize heures quarante-cinq. À travers les fenêtres, la cour accueille le ballet des voitures avec les huissiers et la garde républicaine au garde-à-vous. Gérard Larcher, le président du Sénat, Bernard Accoyer le président de l'Assemblée nationale sont dans l'antichambre, avec Jean-François Copé, qui préside le groupe parlementaire UMP, et Catherine Pégard, la conseillère à la Culture. Un peu dans mes petits souliers, j'imagine que notre rendez-vous va être expédié; le champion américain, impressionné par ce protocole, se demande si c'est le bon jour.

Nous sommes introduits dans le bureau présidentiel et le Président arrive, ouvrant grands les bras.

— Lance !

— *Mister President, your job is not funny every day !*

— *Oh, my dear Lance…* – Nicolas Sarkozy parle anglais à peu près comme Maurice Chevalier. – *When I was young, I decided to be president and I know that…*

Il jette un œil à la traductrice avant d'enchaîner…

— Et j'imaginais bien que j'aurais des… des emmerdements, *you know. Every time* emmerdements.

Nicolas Sarkozy tombe la veste, avec un sourire radieux.

— *You understand*, Lance, emmerdements...
La traductrice jette un mot – « *hassle* ».

— C'est ça ! *I have hassle a lot* mais c'est pas une surprise. *It's not surprising for me. I'm zen, don't worry about me.*

Soudain, il découvre la bicyclette que Lance tient à bout de bras au milieu du tapis.

— *Oh! This bicycle is wonderful! Just a minute, please...*

Il pianote sur son portable.

— Allô... Carlita !... Écoute, devine avec qui je suis ?... Avec Michel Drucker et Lance Armstrong ! Il vient de m'offrir un vélo. *I just received a gift, my darling, a marvellous, marvellous one!* Si tu voyais ce vélo, dis donc, six kilos et demi seulement, une plume. Comment on dit plume, déjà ?

— Euh... *feather*, se précipite la traductrice.

— *Can you believe this, my love, a beautiful...* Comment ça, où on va le mettre ? Ça ne va pas nous encombrer, six kilos et demi, *it's not heavy at all*... Bon... Et toi, tu composes bien ? Tu as trouvé ton refrain, t'es contente ?... OK. OK, *darling*. À tout à l'heure.

Smack. *Kiss*. Bisous. Il raccroche.

— *My wife, she's finishing her new album...*

Je regarde tour à tour le champion et le Président, penchés sur la machine de compétition, et je leur dis qu'au fond, chacun dans leur catégorie, ils se ressemblent.

— Sauf que moi, en ce moment, je n'ai plus beaucoup le temps de faire de vélo! soupire le Président. Ce mois-ci, j'ai fait vingt-cinq heures d'avion. Mais j'aime le challenge, c'est vrai. *Yes, I like fight,* n'est-ce pas, Michel?

Je confirme qu'il aime la castagne.

Et Sarkozy de frapper du poing dans sa paume. Armstrong éclate de rire.

— *Me too, Mr President! I'm 37 and I like the fight.* Mais j'ai Contador dans ma roue et c'est un jeune...

— Quand on est au top, on prend des coups. J'en ai toujours pris... *But really, now I'm zen. Absolutely zen...*

Et Nicolas Sarkozy de hausser les épaules.

— Mais aujourd'hui je rêve d'autre chose. Le bonheur est notre richesse...

Un ange passe, très vite, et le président enchaîne.

— Lance, alors comme ça, *you know* Michel Drucker? *Me too. He is my friend since a long, long time,* pffff... Son frère était mon ami. *Michel knows me,* ah oui, il me connaît et il pourra vous dire que j'en ai vu d'autres... Les Français ne veulent pas changer de politique? *No problem!* Je suis avocat... Il y a une vie après la politique. Tant pis, je ferai autre chose! *Tomorrow I will be happy with Carla. Happy and holidays... and bicycle!*

Et il regarde cette bicyclette de rêve comme un enfant.

210

— *Thank you very very much !*

La scène est de plus en plus surréaliste et en même temps parfaitement naturelle. J'imagine les dignitaires de l'État en train de faire le pied de grue derrière la porte.

— *And the journalists,* hein… soupire Sarkozy, *the French medias…*

— *Oh, I know them !* renchérit Armstrong qui en effet connaît bien les déchaînements de la presse française.

— Ah ! Ils sont nerveux, *nervous and* de mauvaise foi ! Injustes avec moi, mais c'est le job. C'est comme ça en France.

La traductrice traduit cette mitraillette tandis que le Président, les yeux dans les étoiles, inspecte sous tous les chromes son nouveau jouet. La conversation se poursuit en franglais, on parle Tour de France, braquets, grands cols.

— *You want chocolates ?* demande tout à coup le Président en montrant une assiette de mignardises.

— *No chocolate,* répond le champion.

— *No ? No…* Bon, *you have* raison.

L'épouse de Lance veut faire une photo, malheureusement son appareil ne fonctionne pas. Elle le retourne en tous sens, désappointée. Le Président a vite fait de prendre la situation en main.

— Michel, il y a sûrement un photographe dans le vestibule. Va le chercher. *No problem, Michel would find a photographer for you.*

J'ouvre la porte, je traverse deux salons et j'appelle Guillaume Gaffiot, photographe habituel de « Vivement Dimanche ». Et toujours MM. Accoyer, Larcher et la Ve République au garde-à-vous. Copé, surpris, me voit m'agiter sous les lambris.

— Michel, mais qu'est-ce que vous faites là ? Qu'est-ce qui se passe ?

— Rien de grave, Lance Armstrong est venu offrir un vélo au Président.

Il en reste coi.

Je le rassure :

— C'est fini, c'est presque fini.

Au photographe, j'explique la situation en trois mots, à voix basse, sous des regards impatientés. Il rentre avec moi, ni une ni deux, et commence à shooter la photo de groupe avec bicyclette. À la fin, le Président ne résiste pas à aller jusqu'au seuil de son bureau faire admirer son destrier à ses prochains visiteurs. Bernard Accoyer, qui est aussi maire d'Annecy et fou de vélo, semble bien être le seul intéressé en ce jour de remaniement ministériel.

Une dernière fois, Nicolas Sarkozy lève la main en direction du couple Armstrong, enchanté. Et la porte se referme. Le réajustement ministériel va enfin pouvoir être annoncé.

En quittant le palais, j'en ai ri avec toi.

*

Vieillir nous change. C'est flagrant à l'extérieur, moins évident intérieurement. Aujourd'hui il y a une chose dont je suis fier : maintenant, les gens qui me regardent, je les comprends. Si je leur suis devenu tellement familier, de mon côté je les connais mieux. Chez eux, je sais comment ils sont meublés, leur salon, la table basse, le poste de télé, le lecteur DVD, je les vois. Ceux qui me regardent sont plutôt dans ma tranche d'âge, et ce sont en majorité des gens modestes, même si le public de « Vivement Dimanche » s'est élargi. Cette géographie de rivières anonymes forme les grands fleuves comme durant les journées du Téléthon. Lors de ce week-end de solidarité, les gens les plus fortunés n'appellent pas le standard. Les chiffres le prouvent, l'essentiel des dons tourne autour de cinq, dix euros, la participation spontanée de foyers qui vivent la télévision comme un prolongement de leur vie. Des milliers et des milliers de gestes minuscules pour un total faramineux de quatre-vingt-dix millions d'euros.

Cette forêt d'anonymes, elle constitue le socle des carrières légendaires. La gloire est populaire, de Piaf à Johnny, de Belmondo à Delon. C'est cette France-là qui crée les mythes. La France des chansons de Ferrat, celle de « trente-six à soixante-huit » chandelles, celle qui répond à l'appel de l'abbé Pierre à l'hiver 1954. Un pays apparemment immobile qui, lorsqu'il bouge, entraîne tout dans son élan.

Rien n'a changé depuis Versailles. Dans notre monde moderne, les puissants s'enferment dans des tours d'ivoire où on ignore les fins de mois difficiles. Mais moi, le premier public de mes émissions est précisément celui-là.

Il ne se passe pas un jour sans que je reçoive des lettres, environ une cinquantaine par semaine. C'est beaucoup, cent enveloppes avec chaque fois un nom et, sous une écriture, un destin. Dany le sait mieux que moi, elle qui à une époque gérait toute seule ce secrétariat.

Aujourd'hui, sur l'ensemble, dix pour cent de ces lettres sont des demandes d'argent. L'écriture chevrotante d'une dame à la retraite me raconte son veuvage, son RMI, le traitement lourd d'une maladie. Une autre me demande l'adresse d'un bon médecin spécialiste, « pas trop cher »… Des détresses nous arrivent via la poste d'un des pays les plus riches du monde. Je conserve ces lettres parce qu'elles me touchent et qu'elles m'effraient. Pas toutes. Il y a aussi le courrier des enseignants, leurs encouragements et leurs engueulades (les mauvais coucheurs ont la plume facile), des salutations sans autre motif qu'un signe amical. Sous le timbre, ces écritures dessinent les empreintes de ceux que je croise dans les gares et les aéroports depuis 1965. Ces trois dernières années, avec la publication de *Mais qu'est-ce qu'on va faire de toi ?*, des enveloppes présentent une calligraphie plus élégante, les feuillets se font plus longs pour partager des souvenirs parallèles.

Je réponds à chacune, comme mon père, dès le début de ma carrière, m'a sommé de le faire et de le faire bien. À la mamie du Tarn, l'an dernier encore, il fallait ajouter une photo de moi avec ma chienne Olga. La semaine où je reçois Mgr Di Falco, des gens pieux m'écrivent leur foi. Quand c'est Olivier Besancenot, des ouvriers me rappellent leurs vies de trois-huit en usine.

J'aime ces lettres.

Au fil des années, le changement le plus frappant est que les messages de désespoir ont doublé. Le manque, l'angoisse, la peur du lendemain... Certains me demandent de recevoir leurs enfants parce qu'ils n'ont pas les moyens de leur payer des études dans la France de 2010. Des jeunes veulent entrer à la télévision. Les CD pleuvent, envoyés pour un fils, une fille qui « chantent mieux que Michel Sardou ou Vanessa Paradis », on m'annonce le Jacques Brel du Périgord, la Patricia Kaas des Charentes, dans une industrie du disque ravagée par le téléchargement où plus aucun directeur artistique ne reçoit un débutant.

On m'envoie des dessins. Des photos de charme. Des fleurs séchées. Des plans. Des portraits de chiens. Des prédictions. Des mots d'insulte (toujours anonymes). De tout.

Un homme de télévision dans ma situation finit par connaître ses téléspectateurs comme un maire ou un conseiller régional connaît ses électeurs. Le public, d'une certaine manière, est devenu ma circonscription. Voilà plus de dix ans, avant d'accepter de revenir animer des émissions du dimanche, j'ai voulu étudier les enjeux de cette nouvelle bataille. Je me suis dit : bon, le public a forcément changé. Les jeunes, sans doute… Mais les jeunes, où sont-ils, le dimanche après-midi ? En majorité ailleurs, comme les cadres supérieurs qui aux premiers rayons du soleil filent en week-end retaper leur résidence secondaire. J'ai compris que le dimanche le cercle de fidèles se composerait majoritairement de retraités, de solitudes éparses et de familles. De Provence jusqu'en Bretagne, le déjeuner dominical reste une tradition. Plusieurs générations continuent d'être assises autour du poste et des tasses à café. Ce sont eux qui m'appellent Michel sur un quai de gare – on ne crie pas son prénom à un présentateur d'émissions culturelles. En télévision, la tranche du dimanche midi, comme un îlot préservé des mutations, n'a pas véritablement bougé. L'offre des chaînes nouvelles augmente sans cesse mais à la mi-journée on regarde une grande chaîne, le câble et le satellite s'imposent à d'autres horaires. La tranche sacrée du dimanche de quatorze heures à seize heures reste un principe d'habitude qui fut occupé ces trente derrières années par Raymond Marcillac, Jacques Martin et, à deux reprises, votre serviteur.

Aujourd'hui, le public a davantage de goût mais moins de moyens. Souvent je me demande pourquoi, au bout de douze ans, « Vivement

Dimanche » obtient toujours des scores aussi importants, deux millions et demi l'après-midi, quatre le soir, avec des pointes entre trois et six millions l'hiver et les jours de pluie. Pourquoi, quand l'invité est a priori moins « grand public », notre audience varie-t-elle si peu ? C'est aussi, modestie oblige, tout simplement parce que les gens ne sortent pas. Le public du dimanche est devenu captif de la crise qu'il a vue s'installer. Parce que sortir coûte cher. Parce que l'essence, parce qu'un restaurant, un cinéma, un parc d'attractions, un week-end… Beaucoup d'enfants une fois mariés préfèrent revenir déjeuner chez leurs parents. Pour toutes ces raisons, la cellule familiale fait bloc autour du poste en fin de semaine. Avec des « seniors » qui au milieu de la crise économique se demandent si leurs enfants « vont faire mieux qu'eux ». Jadis cette expression dirigeait l'avenir, aujourd'hui a-t-elle encore du sens ?

À toutes ces personnes, je dois ma carrière.

Malgré l'explosion de la société des loisirs, Internet et le téléchargement, la télévision demeure aussi regardée qu'avant. Éteindre son poste signifie avoir les moyens de faire autre chose. Ce repli, une certaine solitude partout, je les ressens. Cette France n'est plus celle de Martine Aubry ou d'Olivier Besancenot, pas plus que celle des écologistes ou de Nicolas Sarkozy, elle est devenue bien trop vaste et profonde pour être représentée par qui ou quoi que ce soit de politique. Mais elle est là, dans toutes les courbes d'audience on la voit. Dans l'adversité de la crise, le quotidien et l'identité de chacun ne sont plus relayés par personne. Socialement, les années 2000-2010 auront été parmi les plus dures. Être étudiant à vingt-deux ans dans cette décennie pour certains a pu signifier traverser un désert. Quelle histoire d'amour peut résister à une crise qui dure, à un chômage chronique, avec deux heures et demie de transport par jour, la scolarité déficiente des enfants, la violence des banlieues sensibles? À quoi pourrais-je penser d'autre en faisant mon métier dominical?

Ce soir j'ai regardé le journal de vingt heures. Premier sujet : le bonheur de cinquante mille Marseillais en liesse sur le Vieux-Port après avoir gagné la Coupe de la Ligue en battant Bordeaux 3 buts à 1. Une ligue n'est pas une coupe de France, encore moins d'Europe… Pourtant on assiste à un délire, tout juste si on ne descend pas la Canebière sous les confettis comme les Champs-Élysées au lendemain de la Coupe du monde voilà douze ans. S'y rassemblent tous ceux qui n'ont pas eu les moyens de monter au Stade de France pour assister au match. Les quartiers populaires où les supporters marseillais oublient dans la ferveur du foot un quotidien souvent précaire. Des chômeurs partis pour une nuit d'ivresse pendant que les jeunes se taperont une cuite dans un apéro géant.

Deuxième sujet : à quarante ans, cinquante parfois, le retour chez ses parents pour voir le bout d'une passe difficile. Des hommes et des femmes reviennent à la case départ, cassés par la vie sociale. Selon Laurent Delahousse, les cas se multiplient. On ne part pas seulement de chez ses parents de plus en plus tard, on y retourne adulte et en détresse sociale.

Dernier plateau avec Audrey Tautou, sa grâce qui fait rêver. L'Amélie Poulain héroïne de l'imaginaire français.

Une page de beau et mauvais temps. Et demain lundi, la France des petites gens recommencera sa semaine. Je cherche un autre mot que celui-là – petites gens –, je ne voudrais pas qu'on le juge condescendant mais je n'en trouve pas d'autre, moi qui n'ai jamais pu employer l'expression si malvenue de « France d'en bas ». Au fond, petites gens, c'est juste. Deux mots pour signifier cette France de Jean Ferrat où paradoxalement ce qu'il y a de petit est aussi ce qu'il y a de plus grand.

Après ce 20 heures ordinaire, sans rien de sensationnel, en éteignant les lampes et en quittant mon bureau, dans l'escalier, j'ai comme un pressentiment sur le cœur, une menace. Et si un jour tout cela ne tenait plus ? Si une injustice, un scandale, une provocation, un choc de trop dégénéraient pour mettre deux France face à face, extrême contre extrême. Ce craquement, on l'a déjà entrevu certaines nuits de violence. Le silence d'un père chômeur à table devant son gosse de douze ans me fait froid dans le dos.

Malaise, ce mot qui m'a toujours paru intime, reflétant le fond de mon tempérament, est devenu celui de l'air du temps. J'aimerais le soigner autant que je peux. Agir contre, le dissiper au profit de moments heureux. On m'a assez reproché cette ligne mais je n'en varierai plus, en tout cas pas le dimanche. Je bouclerai ma boucle, du premier au dernier jour, à faire de la télévision pour ceux qui la regardent.

*

Je me faisais une joie, évidemment, de parler à Jean de foot en cette année de Coupe du monde. Lui et moi partagions la même passion planétaire du ballon rond. Seulement voilà, maintenant, je lui dis quoi ? Débâcle en Afrique du Sud. Foot-fric. Fanfaronnades. Caïds multimillionnaires. Sélectionneur dépassé. Fédération stérile. Je préfère me taire. J'aurais trop l'impression de ne pas lui parler de sport, lui qui l'aimait tant.

Depuis quelques jours, quand même, je cherche. De cette aventure grotesque, si je devais ne garder qu'un épilogue à confier à Jean... lequel ?

J'ai fini par trouver. Ce serait Germaine. Une dame d'un certain âge. J'ai fait sa connaissance lors du « Vivement Dimanche » consacré à Raymond Domenech deux mois avant le départ des Bleus pour l'Afrique du Sud. Certains n'y voyaient pas une bonne idée. Mais si, justement. Parce que la haine mène au pilori et qu'aucun homme ni aucune faute ne justifie le pilori. Personne. Parce que je n'oublierai jamais être allé à l'enterrement de Pierre Bérégovoy en 1993. Cette émission du 25 avril dernier tournait le dos à une actualité houleuse pour retrouver le gamin d'un quartier populaire de Lyon, d'origine catalane, fils de Raimondo Domenech, ouvrier fondeur, antifranquiste ayant fui l'Espagne. Autant dire que ce « Vivement Dimanche » tranchait avec l'ambiance de lynchage qui éveillera chez moi toujours le même rejet. La violence des attaques aurait flingué le plus rompu des hommes publics. Après tout, il ne s'agit que… d'un ballon rond !

Si le sélectionneur n'a pas séduit les Bleus, toute l'équipe du Studio Gabriel, elle, est tombée sous son charme. Et plus encore sous celui de sa mère, Germaine Domenech. Elle n'a pourtant dit que quelques mots à notre collaboratrice Florence Faissat. Ce sont ses mots que je veux retenir de la Coupe du monde 2010 :

— Raymond savait ce qu'il voulait, c'était un petit garçon têtu mais très gentil. Nous vivions dans un HLM et, quand il rentrait de l'école, tout de suite il descendait sur la pelouse. Tous les gamins arrivaient, lui c'était le chef évidemment, il faisait son équipe... Quand le garde apparaissait, tout le monde s'enfuyait! J'en ai payé des procès-verbaux. Cadet, il allait s'entraîner à Gerland, et tous les dimanches avec ses petits sous il me ramenait un bouquet de violettes. Une fois qu'il a gagné des sous, il ne m'en a plus rapporté... J'étais contente quand il était ramasseur de balles. Il recevait sa convocation le jeudi, j'étais heureuse de la lui donner uniquement pour voir sa joie... Quand il est devenu professionnel, j'étais contente mais pour moi ce n'était pas le but. J'aimais le foot en tant que sport et après ce n'est plus du sport. Enfin d'après moi, dès qu'on est payé, ce n'est plus du sport.

— Aujourd'hui, quel regard portez-vous sur sa carrière?

— Je suis un peu lasse. On l'a tellement critiqué... On me l'a tué. C'est vrai. On me l'a tué. Je me demande comment il a tenu. Vous savez qu'à un moment, j'ai eu peur. Heureusement qu'il avait ses deux enfants et sa petite femme parce que... j'ai eu peur du suicide. Mais il est très courageux et il est bien dans sa tête quand même, malgré tout ce qu'on a pu dire. Pas assez causant, peut-être, il devrait s'exprimer un peu plus. Mais, comme dès qu'il s'exprime un tout petit peu on exagère ses propos, alors il a compris : il se tait. Et quand il est poussé à bout, il dit des bêtises. Comme tout le monde... Moi c'est pareil...

— Qu'est-ce qui vous touche le plus chez votre fils?

222

— Je garde toujours des souvenirs d'enfance. Je garde toujours ça, parce que maintenant la vie nous a un peu séparés : lui il a son métier, il est très occupé… Mais moi je garde toujours mon petit bouquet de violettes.

*

Le ciel est bleu, sans le moindre nuage. La foule descend des autocars venus des quatre coins de France. Il est quinze heures. Ce mardi, je ne pouvais pas être ailleurs qu'ici, à Entraigues.

Au milieu des années soixante, Michèle Arnaud, ma productrice, m'a présenté un jeune chanteur de cabaret. Peu d'artistes échappaient à son œil de lynx. Il chantait « Ma môme ». Cette chanson m'a tout de suite plu. Et l'auteur aussi, un grand mec, souriant. Plus tard, en revenant de Cuba, il s'est laissé pousser la moustache mais contrairement à ce que bien des gens pensent, il n'a jamais pris sa carte au parti communiste – le bilan « globalement positif » de Georges Marchais à propos des dictatures socialistes est même devenu une chanson terrible de son répertoire[1]. Il n'est pas non plus allé chanter en URSS parce que les Soviétiques voulaient lui faire enlever « Potemkine » de son récital.

Il chantait comme il pensait et il vivait comme il chantait. Imperturbablement subversif.

---

1. « Le bilan », texte et musique de Jean Ferrat, 1980.

223

Il s'appelait Jean comme mon frère.

Et, comme Jean, il est mort d'une maladie respiratoire.

Dans les années quatre-vingt-dix, c'est chez nous qu'il a fait son dernier pied de nez à la télévision. Et c'est un beau souvenir. TF1 régnait en maître. Deux fois par mois, j'assurais « Stars 90 » depuis le Pavillon Baltard que nous avions transformé en studio de télévision avec la complicité décoratrice de Stéfanie Jarre.

Ce soir-là, Jean a décidé de chanter un titre qui flinguait la chaîne : « À la une ». Le refrain est si dévastateur que je m'en souviens encore par cœur.

Ce soir, après la Roue de la fortune
Un PAF obscène est à la une... [1]

Tout y passe, les débats jugés racoleurs en seconde partie de soirée, l'ensemble des programmes dont il dénonce la vulgarité. À peine l'émission achevée, pendant le générique, mon téléphone a sonné ; c'était Jeannot. Immédiatement, son flair a senti l'orage dans les hautes sphères, il a préféré me prévenir.

— Dis donc, qu'est-ce qu'il leur a mis ! Tu as intérêt à avoir fait une bonne audience.

---

1. « À la une », paroles et musique de Jean Ferrat, © Alleluia Productions.

Je savais bien que cette chanson « coinçait ». L'émission avait été enregistrée et donc visionnée par la direction. Étienne Mougeotte et Patrick Le Lay m'avaient mis face à mes responsabilités. La question de maintenir « À la une » s'est posée. J'ai bataillé pour éviter cette coupe, arguant qu'elle provoquerait un scandale, qu'on dénoncerait la censure pratiquée par la plus puissante chaîne d'Europe. J'ai eu gain de cause. Mais je pressentais qu'on m'attendait au tournant de l'audimat.

Le lendemain de la diffusion je suis à Londres et, d'une cabine téléphonique, à neuf heures cinq, l'heure où tous les hommes de télévision sentent un couperet au-dessus de leur nuque, j'appelle Étienne Mougeotte.

— Étienne, je suis viré ou je ne suis pas viré ?

— Écoute, ça s'est plutôt pas mal passé.

— C'est combien ?... On est dans la moyenne de la chaîne, 38 ?

— Mieux que ça...

— 39, 40 ?

— Largement... 44 % de parts de marché.

Longtemps ce chiffre est resté le record d'audience de la chaîne en soirée, toutes catégories confondues.

Cet exploit avait fait sourire Jean Ferrat. Un sourire d'un homme tel que lui, c'était beaucoup, surtout pour un homme comme moi. Depuis plusieurs années déjà, il s'était définitivement écarté du métier parce que la panoplie de la vedette lui était étrangère et bientôt pour des raisons de santé. Il était venu jusqu'ici, faire de cette vallée d'Ardèche son repaire.

Sa montagne est tout autour de nous, découpant le ciel bleu. Du métier, je ne vois personne. Sauf Moustaki, quelque part dans la foule, m'a-t-on dit. Je trouve triste de ne croiser aucune figure connue. Pas une vedette n'est venue le saluer ? Trop occupées sans doute, un jour de semaine. Beaucoup de l'ancienne génération ont disparu, mais les autres, où sont-ils ? Marc Lavoine est le seul à m'avoir adressé un texto, me demandant un contact pour envoyer ses condoléances – le père de Marc distribuait *L'Huma*. Hugues Aufray aussi a adressé quelques mots d'amitié. Sinon, de la « grande famille du spectacle », je n'ai vu personne.

Au fond ce n'est peut-être pas plus mal.

Nous ne sommes pas venus pleurer une idole, juste dire au revoir à un artiste qui nous aura aidés à aimer et à penser. Au revoir à celui qui a écrit « Nuit et Brouillard » pour son oncle mort à Auschwitz (et que les radios refusèrent de programmer à sa sortie). Au revoir à « La Montagne ». Au revoir au compagnon de route de l'espoir plus que d'une quelconque idéologie.

Toute l'Ardèche est là.

Les regards parlent. Les attitudes restent toutes simples sur cette place du village où longtemps le chanteur est descendu jouer aux boules avec ses copains, dont Félicien à qui il a dédié une chanson. Sans un mot, presque immobiles, les gens suivent des yeux le cercueil brillant sous le soleil. Jamais je n'ai entendu un tel silence d'une foule.

Nous écoutons trois chansons. Son hymne « La Montagne » par l'auteur, repris en chœur. « Que c'est beau la vie » par Isabelle Aubret et « Ma France » par Francesca Solleville, la compagne de tous ses combats. Des paysans tiennent leur casquette à la main, il y a aussi des militants, des enseignants, des ouvriers, des étudiants, des poètes, toute cette famille de gauche qui continue à lire *L'Huma.* Je salue Mme Buffet, Jack Ralite, ministre de la Santé de François Mitterrand, sans voir nulle part le moindre grain de gauche caviar.

Là-haut, vers le mont Gerbier-de-Jonc où les manuels scolaires indiquent que la Loire prend sa source, il y a sa maison. Toute petite, celle qu'un couple de retraités est en droit d'attendre après quarante ans de trimestres cotisés – maintenant ce sera plus long, il en faudra davantage et ça l'énerverait. Cent mètres carrés. De petites pièces, avec son bureau au bord du torrent. Un jardinet en pente sur la vallée avec une véranda où s'asseoir. Dans la salle à manger nous pouvions tenir à quatre ou cinq. Au salon, son gros investissement fut un écran plat de télévision. Parce qu'il était fou de tennis, son idole était Roger Federer – en sport aussi il préférait les artistes. Quand je l'appelais, à chaque rentrée, il me disait : « Je suis crevé, j'ai regardé Flushing Meadows toute la nuit. » Avant que le souffle ne lui manque, c'était même un bon joueur de double. Le reste du temps, il réglait sa comptabilité lui-même, avec sa fidèle Colette, vérifiant ses droits d'auteur au crayon mine bien taillé, imperméable à toute informatique.

Dans leur maison, on se sentait bien. La dernière fois que je suis venu, nous avons déjeuné sur la terrasse mais l'Ardéchois n'a presque rien mangé. Son œil par contre était toujours aussi vif, avide d'actu, de politique. Et sa moustache rebelle avait beau avoir blanchi, elle ne laissait toujours rien passer.

— Michel, je vois tes émissions de temps en temps... Invite plus d'auteurs français, il y en a plein... Et puis, qu'est-ce qui te prend ? Qu'est-ce que c'est que cet accès de militarisme ! Toutes ces émissions pénibles sur l'armée de l'air, de terre... Bientôt ce sera les Renseignements généraux. Qu'est-ce que tu y trouves ?

— Écoute, Jean, j'ai envie de montrer aussi la vie de ces jeunes-là...

— Mais ce sont d'abord des militaires...

— Et alors ? C'est fini les années soixante-dix, le temps des dictatures militaires !

— Pas du tout ! Renseigne-toi !

Ensuite défilait la cohorte de ses énervements, la gauche en général, les socialistes en particulier.

Le gouvernement. L'Église. Les extrémismes… La téloche. Toutes les formes de pouvoir en somme. Et McDonald's aussi. Il n'appréciait pas plus Nicolas Sarkozy aujourd'hui que François Mitterrand hier. Mais il avait une tendresse pour Olivier Besancenot, qu'il appelait le petit facteur. L'année précédente, nous avions consacré le « Vivement Dimanche » de la Pentecôte au jeune leader de la LCR. En préparant l'émission dans mon bureau du Studio Gabriel, je lui avais demandé, comme à tous mes invités :

— Qui tu aimes ?

Et, comme il ne faut jamais me pousser à la roue pour programmer un vieil ami contestataire, j'ai fait une suggestion. Besancenot n'en est pas revenu.

— Alors ça, mes parents seraient tellement contents !… Mais tu le connais ?…

Devant lui, j'ai appelé son idole avant de la lui passer.

— C'est moi… Oui, c'est vous ? Oh !… bonjour, monsieur Ferrat. Je ne sais pas quoi vous dire… Vous ne pouvez pas savoir ce que vous représentez pour moi et ma famille. On vous a écouté toute mon enfance.

Après avoir raccroché, le leader de la LCR s'est laissé tomber dans son fauteuil, l'air gosse.

— C'est vrai, tu ne peux pas savoir ce qu'il représente pour moi.

Olivier Besancenot a choisi « Ma France » et « Nuit et Brouillard » ; j'aurais fait le même choix.

Un moment j'ai espéré que l'ermite d'Entraigues quitterait sa montagne pour passer avec nous ce dimanche prolétaire sur les banquettes... rouges. Hélas, il était déjà trop fatigué.

L'été dernier, j'ai fait un saut en Ardèche. Tout de suite, nous avons parlé du petit facteur.

— Dis donc, tu lui diras de ne pas se décourager... il faut qu'il s'accroche.

Mais c'était plus fort que lui, il fallait qu'il renâcle.

— ... Par contre, il ne faut pas diviser s'il veut unir la gauche contre ton pote Sarkozy ! C'est bien, cette rébellion, c'est ma jeunesse mais qu'il ne divise pas la gauche ! Tout le monde se tire la bourre, même Mélenchon se casse ! Il est bien Mélenchon, pourtant ! Enfin Michel, dis-le-lui, toi, au petit facteur !

Dans ma carrière, c'est fou le nombre de messages de ce genre que j'ai pu transmettre, mais ont-ils servi à quelque chose ?

— À la LCR, il n'est pas seul à décider, tu sais, il faut l'unanimité du Politburo !

— Mais enfin, le petit facteur va se prendre un bide ! Aux régionales, il va pas faire 3 %, alors que le moment est favorable.

Au premier tour des régionales Besancenot a fait... 2,5 %. Mais celui qui l'avait prédit n'était plus là pour le regretter. Pour être fidèle à son souvenir, je me dois de dire que le raz de marée socialiste l'aurait quand même réjoui.

Depuis sa mort, Colette, sa femme, peut à peine descendre au cimetière, c'est un défilé ininterrompu de visiteurs. Jamais Jean Ferrat n'aurait pu croire que la France serait plus bouleversée par sa mort que par celle de Yves Montand. Cette France qu'il a tant chantée.

> *Celle qui ne possède en or que ses nuits blanches*
> *Pour la lutte obstinée de ce temps quotidien*
> *Du journal que l'on vend le matin d'un dimanche*
> *À l'affiche qu'on colle au mur du lendemain*
> *Ma France*
> *Qu'elle monte des mines descende des collines*
> *Celle qui chante en moi la belle la rebelle*
> *Elle tient l'avenir, serré dans ses mains fines*
> *Celle de trente-six à soixante-huit chandelles*
> *Ma France.* [1]

Il nous laisse quinze tubes, parmi lesquels les paroles de la chanson mythique de Daniel Guichard : « Mon vieux ». Qui laisse quinze tubes ?

À la fin, sa voix au téléphone n'était plus qu'une inspiration rauque comme celle de Jean quand pointait l'asthme.

Quelques jours avant de partir, il a dit à Isabelle Aubret : « J'ai réussi ma vie mais je vais rater

---

1. « Ma France », paroles et musique de Jean Ferrat, © Alleluia Productions.

ma mort. » La souffrance avait été trop longue. Souvent intubé, relié à un inhalateur portable, il traversait le jardin avec sa bonbonne à l'épaule. Dans cette maison de santé près de Lyon voilà deux ans, avec sa femme, il se battait déjà contre l'asphyxie. Le mal n'a fait qu'empirer. Ses nuits sont devenues l'enfer. En lui rendant hommage, je n'ai pas évoqué cette fin – il y a des talents que la maladie n'atteint pas.

À sa demande, je suis même allé signer mon livre à Entraigues où une de ses amies animait un petit cercle culturel. Une dernière fois nous avons espéré que Jean descendrait de sa maison, il n'est pas descendu.

Je crois qu'il n'a jamais su à quel point son amitié comptait pour moi. Lui qui m'a toujours été reconnaissant de l'avoir aidé à exister à une époque où il était mal vu de le recevoir à la télévision. En découvrant à sa mort que nous étions amis, beaucoup de gens du métier que je laissais indifférents ne m'ont plus regardé de la même façon. Jean a toujours été heureux de nos émissions. Françoise Coquet et moi en sommes les dépositaires, parmi ces archives se trouvent ses dernières apparitions télévisuelles. Avec Gérard Meys, son éditeur et producteur, nous veillerons jalousement à ce qu'elles ne finissent pas entre n'importe quelles mains de recycleurs d'images.

À la dernière fête de l'Huma, j'ai accepté de présenter un spectacle en hommage à Jean Ferrat. Entendre soixante mille personnes reprendre en chœur « Aimer à perdre la raison » en compagnie de Colette, sa veuve, restera un des plus grands souvenirs de ma carrière.

Et puis, encore et toujours, il y a mes parents. Un soir, j'ai présenté Jean Ferrat à ma mère. Pour elle, son nom représentait Aragon et Elsa Triolet… Quant à mon père, le jour où il a appris que je faisais une émission à vingt heures trente avec l'auteur de « Nuit et brouillard », je n'ai pour une fois entendu qu'un silence ému au bout du téléphone. Les seules émissions de variétés que mes parents auront aimées inconditionnellement, presque viscéralement, c'est Ferrat. Ma mère me disait : « Maintenant que tu as fait Ferrat, il te sera beaucoup pardonné… Oui, oui, tous tes petits chanteurs, là, tu as beau dire, il n'en restera rien, tandis que *lui*… »

Elle avait raison, mais ça m'énervait quand même.

— Maman, en 1936, qu'est-ce qu'ils chantaient les gens sur la route des premiers congés payés? Des chansonnettes! « Y a d'la joie » était une chansonnette. Et d'ailleurs, maman, permets-moi de te dire que ce ne sont pas les intellectuels de la télévision qui auront reçu Ferrat.

— Eh, quand même, je l'ai vu l'autre soir au « Grand Échiquier », mais c'est vrai qu'il est venu plus souvent chez toi que chez Jacques Chancel. De toute façon, ne te compare pas!

Elle me soûlait avec Chancel.

Olivier Royant, le patron de *Match*, a mis cette disparition à la une de l'hedomadaire qu'il dirige, avec des photos inédites. Il m'a avoué avoir atteint neuf cent mille exemplaires. Et si le magazine n'avait pas manqué de papier en stock, ce numéro d'hommage aurait sans doute dépassé le million, un des records de la décennie. Patrice Duhamel et Patrick de Carolis qui ont eu la très belle idée de retransmettre, pour la première fois, en direct, les obsèques d'un grand artiste, ont été stupéfaits par le succès d'audience.

Au-delà des obsèques, c'était plutôt un rassemblement de chagrin et de respect. Pas seulement l'hommage d'un pays à un chanteur, mais aussi à une conscience. Son œuvre restera dans les écoles. Brel a chanté les passions, les bourgeois. Brassens les curés, les amours interdites et les putes. Ferré le temps et l'anarchie. Barbara la solitude. Ferrat, lui, n'aura fait que chanter le cœur des gens.

J'ai voulu voir Vesoul

Je roule. Je vais à Vesoul. Préfecture de la Haute-Saône. Je roule au beau milieu des années soixante sur la route de l'est. J'ai passé Colombey-les-Deux-Églises, longé un moment la Marne, traversé Verdun. Je serai à Vesoul pour déjeuner à l'hôtel du Nord qui jouxte la préfecture. Là-bas, le stagiaire de l'ENA s'appelle Jean Drucker. Suivant la tradition, au sortir de l'école, on fait son stage de dix-huit mois en préfecture.

Dans les années soixante, un stagiaire de l'ENA parachuté en province, ce n'est pas rien. Jean entre dans la carrière, demain il incarnera le rêve de notre père. Mon frère devient quelqu'un.

Mais moi aussi. Je suis à la télévision depuis quatre ans, le poulain du desk, c'est moi. Chaque dimanche soir j'apparais dans les émissions sportives, j'ai même déjà fait quelques unes de magazines de télévision, même si je ne suis qu'un gamin entre Marcillac, Sabbagh, Desgraupes et les speakerines. Tous ont plus ou moins des enfants de mon âge (les autres gamins des Sports s'appellent Thierry Roland, Stéphane Collaro et Michel Dhrey).

Je roule. Je vais voir mon frère dans *ma* voiture. Un bijou, une merveille, mon premier investissement. À un cameraman, d'occasion, j'ai acheté un cabriolet Peugeot 403, la copie conforme de celui de Colombo mais couleur bordeaux avec les sièges en cuir. Dans la voiture de Peter Falk je file pour mon premier week-end, à Vesoul, voir Jean.

Je me suis habillé, moi aussi j'ai un pull en cachemire noué sur les épaules, comme Jean. Et un imper Burberry bien plus élégant que celui de Peter Falk. Dans la boîte à gants, j'ai placé quelques photos. Quand on commence à se faire connaître, *Télé 7 Jours*, seul grand journal de télévision à l'époque, vous imprime vos photos avec le sigle du journal en bas à gauche. Paré, avec mes portraits, mon cabriolet et mon look, à une pompe à essence sur la route de Verdun, on m'a reconnu et j'ai signé une photo.

Je gare ma voiture au parking de l'hôtel. Une 403 bordeaux cabriolet, ça se remarque. Même un samedi. L'hôtel du Nord, avec sa façade, ses bacs à géraniums, c'est la bonne table de Vesoul. Mon frère y a sa chambre à demeure. On m'accueille en me parlant tout de suite de lui. « Jean n'est pas là. » « Votre frère Jean va arriver, il vient à pied, son bureau est tout à côté. » Il a sa table, la table du stagiaire de l'ENA. Moi, je ne fais pas grande impression, on ne me calcule même pas, tout en m'accueillant très gentiment comme le frère de « monsieur Jean ». Les femmes ne me connaissent pas, le sport n'est regardé que par les hommes.

— Monsieur Jean ne va plus tarder.

Jean par-ci, Jean par-là.

La réception est à l'ancienne, le bois bien ciré, le menu copieux. Les gens se sont habillés pour venir déjeuner un samedi. On m'a réservé une chambre.

— À côté de celle de monsieur Jean.

La porte s'ouvre et il arrive, ses journaux sous le bras. Je l'entraîne dehors admirer mon cabriolet. Rien n'a changé, et pourtant si. Mon frère change. Il a déjà la poignée de main préfectorale. Dans la salle du restaurant, les Vésuliens s'arrêtent à notre table, des notables, le médecin, l'adjoint au maire pour lui parler du bal des pompiers, le directeur de la maison de retraite, la censeur du lycée. Si papa le voyait, il serait fier. Jean est déjà dans le job. Moi je vois surtout les filles, les dames, tout un harem autour de lui. Cette grande blonde qui doit être l'épouse du médecin, la brune en chignon, bien mise, une professeur... et la jeune serveuse, fraîche, qui a une manière si sexy de lui demander :

— Monsieur Jean, vous prenez un apéritif?

— Je voulais vous présenter mon frère qui travaille à la télé.

— Ah oui, bonjour... Et monsieur Jean, il prend quoi comme apéritif?

« Monsieur Jean », le roi de Vesoul. Arrive Henri Kielwasser, le patron de l'hôtel, sportif, grand skieur, les monts des Vosges et la Suisse ne sont pas loin. Je les vois s'embrasser en jeunes loups, Henri et Jean, à eux deux, je me dis, ils doivent mettre tout le département sens dessus dessous.

On s'assoit. La table de « monsieur Jean » a une vue panoramique sur toute la salle et la salle n'a d'yeux que pour lui. Lui ne s'en vante pas, mais je l'observe décocher ses sourires, ses œillades, se lever pour aller dire un mot aimable. Toute la province du samedi froufroute autour de mon frère, mon Jean, et la saison bat son plein. Pour la première fois, je découvre le vrai charme de mon frère. Cette jeune serveuse, à presque rien, je sens bien qu'ils ne se voient pas qu'au restaurant, ils ont beau se vouvoyer très convenablement, je suis sûr qu'elle ne fait pas que lui apporter le plateau du petit déjeuner. Leur complicité ne me trompe pas.

— Vous savez, votre frère, on l'aime bien ici.
— Mais je vois ça.

Je le regarde inspecter le menu, la mèche impeccable, le cheveu noir corbeau. Ici, Jean s'est aménagé une vie confortable à tous points de vue, maman n'a vraiment aucun souci à se faire. Je parierais même qu'il n'en branle pas une à la préfecture, dans son costard à fines rayures.

Les filles le dévorent des yeux. Et lui fait mine de ne pas les voir. Avec son physique à mi-chemin

238

entre Jean-Claude Brialy et Anthony Perkins, beau brun ténébreux, à la fois aimable et brillant. Élégant, issu tout droit de la rue Saint-Guillaume et du boulevard Saint-Germain où il connaît chaque boutique chic. Un fossé continue de nous séparer. Je pensais avoir commencé à le combler en arrivant à la télévision, mais non. D'ailleurs personne ne m'a encore reconnu, à croire qu'ils n'ont pas la télévision, en Haute-Saône. C'est toujours à Jean qu'on adresse la parole avant moi, « monsieur Jean » et même « monsieur Drucker », quand pour moi ce nom ne peut être que celui de notre père. C'est lui, le dandy, la vedette de Vesoul malgré mon cabriolet de Colombo et ma toute fraîche couverture de *Télé 7 jours* que je n'ai pas osé sortir de la boîte à gants.

Enfin, le cuisinier, passionné de foot, jaillit de la cuisine pour me sauver du désastre tandis que Jean discute le menu avec la jolie serveuse. À moi, le cuistot, le bagagiste, le commis, à lui les filles... Tout le sexe faible du département est à ses pieds en mocassins à gland. Ils font fureur à l'époque, surtout couleur bordeaux comme ma voiture. L'inconvénient d'être reporter sportif, c'est de ne pas avoir un public mixte (il faudra attendre les Rocheteau – l'Ange vert –, les Zidane pour voir arriver les femmes au bord des pelouses). En attendant, le cuisinier me vante ses rognons flambés et le bagagiste me demande enfin une photo dédicacée, tandis que dans son tablier blanc la plus belle fille de Vesoul promet à Jean les meilleurs morceaux. Il remonte sa mèche.

Il ne lit pas seulement *L'Express* et *Le Monde*, *Les Cahiers du cinéma* aussi.

J'étais le petit frère de Jean, je suis toujours le petit frère de « monsieur Jean ».

Il me fait visiter son bureau directorial, attenant à celui du préfet. Mon frère n'est plus le gosse de Normandie. L'ENA l'a englouti. Je le vois vivre, jeune serviteur de l'État auréolé de prestige absolu.

Sur ses cheveux sombres, j'imagine bien la casquette galonnée de sous-préfet, tous les ors de la République et papa en photographe officiel. Avec en prime ce physique de jeune premier, assez rare dans les hautes sphères. Cette allure du communicant qu'il va devenir, détendu, chaleureux. Les études ne l'ont même pas marqué, moi qui ai toujours jugé qu'elles vous laissaient d'affreux stigmates comme la pire des épreuves. Jean, pas du tout. Parmi des centaines de thésards et de rats de bibliothèque, asphyxiés par les révisions sans une seconde de répit pour s'occuper d'eux-mêmes, Jean a toujours arboré sa dégaine de piège à filles. Cette apparente légèreté. Ses premiers sous sont allés dans une chemise siglée « J. D. » sous la poche poitrine (ce dont personnellement je ne voyais guère l'utilité puisque nous avions passé l'âge de perdre nos vêtements en colonie de vacances). Un complet sur mesure.

240

Des chaussures anglaises. À coups de flanelle grise, de double-fil bleu marine, de cuir bordeaux, il a imposé le chic anglo-saxon façon Old England à tout le gratin de la Haute-Saône.

Avant de monter en voiture, il ôte délicatement sa veste et la plie sur l'arrière de la banquette. Jean ne se froisse jamais. À son cou je vois nouée l'une de ces premières cravates qui vont signifier l'élégance masculine pendant trois décennies, celles en maille tricotée. Je vois apparaître des boutons à ses cols de chemise, des chaînettes, même. Il les porte blanc sur bleu, très raides, à l'italienne. Derrière cette fine touche de fantaisie, la silhouette demeure impeccable, le ton parfaitement juste dans son allure comme dans son propos. Calme, toujours calme, souriant, plein de sang froid, *under control.*

La serveuse est folle de lui, c'est évident, et il n'a même pas l'air de s'en apercevoir. À Paris, un peu snob, il aimait les cracks, les filles intellos, les grandes bourgeoises aussi, tout cet univers dont il se sentait de moins en moins étranger. À Vesoul il ne semble ni perdu ni bégueule loin du bocal du boulevard Saint-Germain. Pour la première fois en prise directe avec une région rude, à cinq cents bornes du giron familial, Jean se sent chez lui. Il est séduit – autant qu'il séduit – par ces jeunes filles nature qui vont l'émanciper. À Vesoul, mon frère devient un homme, entre un Hôtel du Nord loin de Marcel Carné, les parapheurs du préfet, les virées avec Henri Kielwasser. Cet univers il ne fera pourtant que le traverser, il ne restera pas dans la préfectorale, il préférera quitter cette province que j'aime et où je me reconnais déjà. Lui va vite rallier son monde au Quartier latin. Le stagiaire qui viendra le remplacer à la préfecture de Haute-Saône s'appelle Marc Tessier, que je retrouverai plus tard à la tête de France Télévisions. Ce sont des hasards qui ne s'oublient pas.

Je suis retourné parfois à Vesoul et, à la longue, là-bas comme ailleurs, j'ai fait ma place. Les gens que j'y ai croisés, peu à peu se sont avoués moins intimidés par moi que par le stagiaire de la préfecture. Cette simplicité, ce sera ma revanche.

Nous étions deux jeunes hommes chacun sur la ligne de départ dans la salle de restaurant de l'hôtel du Nord. Il était le dandy de toute une ville qui ne lui serait bientôt plus qu'un souvenir. Moi, déjà, je pressentais que tous ces gens allaient devenir mes téléspectateurs.

Nous avons été heureux à Vesoul. Si jeunes. Partis pour la vie, l'insouciance balayait les inquiétudes. Mais qui n'a pas été joyeux dans les années soixante ?

Jean exerçait son charme sûr, moi j'expérimentais des attraits plus incertains. Pour nous, charmer semblait plus naturel, et plus important, que séduire. Plaire, chez Jean, était plus un don qu'une stratégie. L'air qu'il aimait respirer. Je crois qu'il parlait aux femmes comme il ne me parlait pas à moi. À Vesoul, je n'ai pas le souvenir que nous ayons particulièrement parlé, juste celui d'avoir été heureux à l'horizon de nos vies fraternelles.

Vincent

Je voudrais te parler de Vincent. Dans mon précédent livre, déjà, j'ai voulu le faire mais il était trop petit. J'ai préféré attendre. Attendre de mieux nous connaître lui et moi. Aujourd'hui il a douze ans. Je veux te parler de lui. L'une des plus belles images que j'ai de Vincent, c'est toi, toi et lui, avec notre frère Jacques dans le beau jardin de ta maison à Mollégès. Je me souviens de ton regard devant ce petit bonhomme de cinq ans. De l'importance qu'il revêtait dans ta vie.

C'est un garçon blond comme sa mère, rapide, vif. Quand il est en confiance, il est aussi volubile que peuvent l'être les Drucker. Et bon élève, comme son père l'était. Avec la même passion que toi pour le tennis. Je le vois deux ou trois fois par an seulement mais, dans les années à venir, je crois que nous nous verrons davantage. Il est heureux, extrêmement complice avec sa maman et avec un autre Vincent, son beau-père qui l'aime comme un fils. Chaque Noël, j'ai pris l'habitude de lui offrir la raquette d'un des quinze meilleurs tennismen du monde, il possède déjà celles de Nadal, Monfils, Santoro, Jo-Wilfried Tsonga... Et je ne désespère pas pour Noël prochain d'y ajouter une des raquettes de Roger Federer, son idole. Il aime tellement le tennis que pour la deuxième année consécutive il est en stage dans l'école de Bollettieri en Floride, cette université du tennis qui a formé tant de champions, d'Andre Agassi à Monica Seles en passant par Jim Courier.

Ton fils a ton humour. Ta dextérité. Il m'appelle Michou. Il lui est arrivé de venir passer un petit moment à mon bureau. Devant les photos de nous qui en tapissent les murs, il est resté silencieux.

Plus tard, quand il sera plus grand, je lui dirai qui tu étais, combien tu as été heureux pendant les courtes années vécues auprès de lui. Il voit Jacques, son autre oncle, lorsque celui-ci passe par Paris.

Que reste-t-il dans sa mémoire d'un père qu'il a perdu à cinq ans ? Je me pose souvent cette question en pensant à lui. J'attends le moment, celui qu'il choisira, pour lui parler de toi. La dernière fois, devant tes photos, je lui ai glissé : « Tu as vu, comme ton papa était beau. » Il n'a pas répondu mais il t'a beaucoup regardé.

Qui sait ? Peut-être comme toi, comme son oncle, sa demi-sœur Marie ou son beau-père Vincent Bolloré, fera-t-il un jour carrière dans l'audiovisuel ?

246

En attendant, Vincent vit au grand air une vie pleine, week-end à la campagne, été à la mer, hiver à la montagne, bon skieur, bon nageur et, évidemment, bon tennisman. Tu serais fier de lui. À la première occasion, je voudrais l'emmener à vélo, le seul domaine où je suis plus fort que lui. Qui sait, si, un jour, nous sillonnons ensemble nos routes des Alpilles, peut-être lui rappelleront-elles les premiers étés de sa vie, dans ce pays que tu aimais tant? Et où tu as vécu tes dernières heures. Bientôt j'aimerais l'amener sur la tombe de ses grands-parents, Lola et Abraham, et, plus tard, lui raconter toute l'histoire des Drucker. Avec lui, peut-être parlerai-je de tout ce dont nous ne parlions pas.

Son école est à trois cents mètres à vol d'oiseau du cimetière de Passy où tu reposes. Nous allons venir te dire bonjour, tous les deux.

À demain, mon Jean.

De peur d'oublier

Demain dimanche je vais voir Johnny au Stade de France. Mais ce soir je ne résiste pas à l'envie de suivre son concert en direct à la télévision. Depuis vendredi il chante trois heures chaque soir. Soit neuf heures en trois jours.

Sur l'écran, son visage me fascine. Cette gueule braquée depuis cinquante ans par les caméras, les photographes, les fans, est devenue aujourd'hui un miroir dans lequel tout un pays se voit traverser le temps.

Je pourrais me dire à quoi bon y retourner demain, après l'avoir vu ce soir en gros plan ? Mais je veux y aller. Pour son finale à Paris, Johnny ne pourra pas m'en vouloir… Je l'aurai applaudi deux fois, dans mon salon comme des millions de télé-spectateurs et au milieu de son public du Stade de France.

Je ne me presse pas, pour arriver au dernier moment. Johnny chante à neuf heures vingt et sortira de scène à minuit quinze après un show réglé à la minute près. Trois heures de la tombée du jour à la nuit noire.

J'y vais seul.

En voiture, le long du périphérique, je passe devant la tour Philips, après la Porte de La Chapelle. Levant les yeux, je me souviens voilà onze ans d'avoir emmené Johnny au Stade de France par la voix des airs. Non sans peine. Aujourd'hui, plus besoin d'hélicoptère, le sensationnel est ailleurs : c'est la der des der. Johnny ne dit pas qu'il abandonne la chanson, seulement les grandes tournées. En un mot, c'est la fin des barnums.

Deux cent mille personnes en trois jours.

Tout le monde y voit la fin d'une époque. Y compris Johnny. Dans l'espace VIP, j'aperçois Luc Besson, Jean-Luc Delarue avec l'écrivain François Weyergans. Clémentine Célarié qui n'a jamais vu Johnny sur scène. Delon était présent hier soir avec Belmondo. Dans les regards perce l'émotion des adieux. Personne n'est venu pour être vu, pas cette fois, pas ce soir.

Sylvie Vartan montera sur scène dans la deuxième partie. Tony Scotti, son mari, est là. Estelle aussi. David partagera un duo avec son père avant de s'installer un moment à la batterie. Toutes les vies de Johnny condensées en un seul mot : la scène.

Jamais je n'ai vu d'écrans géants aussi géants, pour le plus solennel, le plus long de ses concerts.

L'épilogue impossible. Trois changements de costume. Entre chaque chanson, il s'adresse au public et il parle bien, lui qui d'habitude aime se taire. Ses phrases tapent juste. Sonné et magnifique, il va finir en chantant « Et maintenant », l'hymne de Bécaud. Imparable.

> *Et maintenant que vais-je faire*
> *De tout ce temps que sera ma vie*[1]...

Auquel Johnny ajoute :

> *Que sera ma vie sans vous ?*

À chacun de ses concerts, la salle me transporte autant que la scène. Pour moi c'est un seul et même bloc. Les premiers spectateurs sont là depuis midi... et depuis cinquante ans. Certains ont fait tatouer son nom sur leurs bras. Sous le rock'n'roll, ils ont blanchi avec leur idole. Comment ne pas y penser ? Lui, à l'instant d'apparaître, aussi traqueur qu'à seize ans, devant cette foule, cette houle, ressent-il ce vertige ? Ce lien prodigieux, de l'ordre du sortilège. Comme une énorme vague. Après son adieu à la démesure des paris les plus fous, sa vie continuerait sereinement ? Je ne peux pas le croire. Avec ce Tour 66 auquel il a

---

1. « Et maintenant », paroles Pierre Delanoë, musique Gilbert Bécaud. © BMG/1962 Éditions Le rideau rouge.

donné le nom de son âge, il renoncerait? Il ne pourra pas. Jusqu'au bout, il reviendra survivre à quitte ou double. Au fond, il mériterait d'y mourir, peut être est-ce même son désir profond.

Comme Dalida.

Après le concert, je ne veux pas m'attarder. Trop de monde, de bruit, d'émotion. Trop. À Catherine Battner, son attachée de presse, j'ai dit que je me faufilerai vers la sortie pendant l'apothéose de « Et maintenant ».

Le Stade de France est comble, l'embouteillage va être infernal. Je préfère envoyer un texto et appeler Johnny demain, tranquille. Catherine essaie de me convaincre de rester. Elle et moi savons que l'amitié de Johnny détecte la moindre absence. Mais tant pis, à l'idée de cette cohue, de l'épuisement de la star, je préfère filer.

Dans mon dos, je laisse la foule en pleurs, le stade en délire. À peine franchies les portes, le grondement du volcan s'estompe dans le dédale désert des vestiaires. Derrière moi monte l'ultime rumeur du refrain – « Que vais-je faire de tout ce temps que sera ma vie » – et je tombe sur Laeticia, stupéfaite.

— Mais où tu vas, Michel?

— Je m'en vais.

— Mais tu ne peux pas!

— Écoute, demain je suis à Europe 1 très tôt... Le temps qu'il sorte, qu'il se douche, qu'on le masse...

— Tu ne peux partir sans le saluer, pas ce soir, enfin, Michel !

— Ils sont au moins cinquante à l'attendre...

J'ai aperçu Brice Hortefeux, Line Renaud et même Michèle Alliot-Marie... Vincent Perez et Muriel Robin. Le Tout-Paris.

— Alors viens ! Suis-moi, on va le chercher à sa sortie de scène, avant tout le monde. Viens, je te dis !

Elle m'entraîne à travers l'interminable virage souterrain du stade. Nos pas résonnent sur le béton. De la scène à sa loge, il faut bien parcourir cinquante mètres. Soudain, au bout du couloir, je le vois. Fragile, dans un nuage de sueur, un petit homme, tassé. Fumant comme un rescapé du feu. Je viens de quitter un dieu dans sa lumière, dévorant la scène et sa légende... et sous les néons verdâtres, entre son producteur, son photographe, son habilleuse, sa maquilleuse et son coiffeur, je retrouve l'homme. Juste l'homme. En cinq minutes, j'ai l'impression qu'il a perdu dix centimètres. Sous le peignoir éponge, en eau, il me sourit. Vite, sans s'arrêter pour ne pas prendre froid. La ronde des autres bouge avec lui, dans une sorte de flou.

— Comment tu m'as trouvé ?

— Formidable. Tu m'impressionneras toujours !

Je ne sais pas quoi dire, sinon ce mot qui m'a servi jusqu'à la caricature. J'aimerais en trouver

253

d'autres pour le rendre heureux. Mais je ne sais pas. C'est tellement évident qu'il était *formidable.* Il me jette son regard de biais, fulgurant, qui n'appartient qu'à lui.

— Michel... Et comment va ton dos ?

— Mieux. Je nage. Et toi, ta hernie discale ?

— Écoute, ça va... En scène, j'ai pas trop souffert mais en dehors c'est l'enfer.

— Comment tu fais pour avoir cette voix depuis trois jours ?

— Je ne sais pas.

— Je t'embrasse, on s'appelle demain.

Je me sens comme un gamin. Filant dans le froid entre deux murs, il entre dans sa loge. Je retourne sur mes pas pour traverser la foule des VIP qui patientent. Je retrouve ma voiture. Ce soir, Johnny va rentrer chez lui. Demain, nous serons des dizaines à l'appeler pour le féliciter, puis il dormira plusieurs jours durant... Et puis ? Après après-demain, quoi ? La seule façon d'atténuer cet arrachement, l'abattement qui suit une telle tension, sera de faire durer sa tournée d'adieu le plus longtemps possible. Dangereusement longue pour sa santé, elle court déjà depuis presque un an. S'il peut, il la prolongera encore pour repousser la fin. Un jour, il faudra bien, pourtant. Et après ? À soixante-dix ans, dans l'inquiétante décennie du chiffre 7, comment pourra-t-il rester assis à regarder jouer ses petites filles ? Il aura beau les aimer... L'envie d'avoir envie renaîtra. Le monstre, ce n'est pas la gloire, le monstre c'est l'ennui. Johnny fera un disque, un autre, avec le piratage Internet, les ventes suivront plus ou moins, sans aucun rapport avec l'intensité que nous venons de partager encore une fois. Quel studio d'enregistrement peut rivaliser avec le Stade de France, procurer cette décharge d'adrénaline pure, cette sueur, cette drogue dévastatrice des bravos et du triomphe ? Sa passion de chanter a toujours été plus forte que sa fureur de vivre. Comment va-t-il faire ? Le désir lui commandera de revenir se surpasser.

Mais son corps ?

Rentré chez moi, impossible d'aller dormir. Je traîne, je vérifie, je récapitule les Post-it de mon agenda, je jette un œil au fax, machinalement. Pas envie d'allumer la télé. J'écoute la nuit. Autour de la terrasse, Paris ne bouge pas. Les stars sont comme les grandes villes, on ne se lasse pas de leur lumière. Quand même, qu'est-ce qu'il aura fait vendre comme papier... Des tonnes de journaux, de photos, et combien de millions de disques, de CD ? Combien d'heures de sujets aux JT ? Un jour on pourrait les mettre bout à bout pour un non-stop qui durerait plusieurs nuits d'hommage et nous ferait traverser la moitié d'un siècle. Et ces fortunes qu'il aura fait gagner à tant de gens, ceux qui l'ont mérité et ceux qui ont profité... Producteurs, pique-assiettes, « *yesmen* », gourous, agents et médecins bons ou marrons, chauffeurs somnambules, gardes du corps de jour comme de nuit, intermédiaires de tout poil, disquaires, patrons de presse, les sponsors... Et les gens de télé, aussi. Recordman des couvertures de *Match*. Et de *Télé 7 Jours*. Ses amours cabossées, ses familles déchirées et recousues au fil du cœur. Quatre générations de public irradiées. Depuis cinquante ans, Johnny ne peut pas faire un pas dans la rue ni s'asseoir tranquillement dans un restaurant. Qui peut vraiment imaginer sa vie ? N'avoir pas pu en vingt mille jours sortir une seule fois de chez soi sans être instantanément Johnny Hallyday.

Le lendemain, j'ai appelé Mathieu, son coiffeur, pour avoir des nouvelles. Je le connais bien, c'est aussi le mien depuis toujours. Les coiffeurs, comme les maquilleuses, savent tout.

— Il est rentré à quelle heure ?

— Deux heures et demie.

— Est ce qu'il a pu dormir ?

A-t-il mesuré la tranche de vie qui vient de se refermer ? Comment l'a-t-il pris ? Lui qui n'existe organiquement, culturellement, que dans la lumière ?

— On ne sait pas.

Nul ne sait.

Le lendemain du premier concert, une photo historique a fait la une de la presse quotidienne : Delon, Belmondo et Hallyday. Trois stars tricolores au Stade de France. Au fil des années, les plus grands se reconnaissent dans la dernière ligne droite. Ceux qui ont survécu après avoir souvent fait le vide autour d'eux finissent par se tendre la main « en derniers des Siciliens » selon l'expression de Delon. Comme Chirac et Mitterrand. Anquetil et Poulidor. Prost et Senna. La rivalité laisse place au respect. Sur l'écran de la télévision, j'ai vu sourire notre trio national. Alain, Jean-Paul et Johnny. Cette triple aura. Jean-Paul surmontant le handicap, Johnny le cadet pour son ultime mégashow. Et Alain, brisant sa solitude pour être là. Les trois grands fauves réunis dans la cage d'une dernière date.

Tous les trois je les connais. Je ne les ai pas seulement croisés dans la lumière. Je sais que le succès ne les a jamais blindés ni rassurés. J'ai mesuré leur ego bien sûr, mais j'aurai connu leur modestie aussi. Leur humilité face au destin. Malgré tous les honneurs, l'inquiétude au fer rouge qui les a forgés. C'est même l'une des plus belles choses que m'ait apprises mon métier. Le doute et le feu.

Quand Delon n'a pas pu tourner *Vengeance*, le film de Johnnie To, Johnny a repris le rôle. La veille de son départ pour Hong Kong, Delon est venu lui offrir un revolver de collection, rarissime. Tous deux partagent la même passion des armes à feu. Sur un côté de la crosse était gravé Alain, sur l'autre Johnny.

Tout Delon est dans ce geste.

Je le connais depuis *Le Samouraï* de Melville. Et par hasard aussi, pour avoir rencontré avant lui un catcheur, Zina, à la fois Ange Blanc et bourreau de Béthune des beaux soirs du cirque d'Hiver. Une fois quitté le ring, ce garçon est devenu chauffeur et garde du corps d'Alain Delon pendant trente-cinq ans.

Delon est le silence et le mystère du métier. Solitaire, comme on le dit d'un diamant. Je ne connais personne qui puisse se vanter de le déchiffrer vraiment. Son silence peut durer des mois, des années, avant que tout à coup il ne surgisse pour manifester son amitié. Tout aussi brusquement, il peut vous croiser et vous lâcher, glacial : « Alors, je suis mort ! Pourquoi tu n'appelles pas ? » Avant de disparaître à nouveau. Si on l'invite en privé, il peut venir ou ne pas venir. Inutile de chercher à comprendre, ses urgences sont ailleurs. Il impressionne. Il m'impressionne. Je n'appelle pas facilement Alain, parce que c'est Delon. Depuis longtemps, dès mon premier livre, je veux parler de lui sans oser le faire. Et je n'ose toujours pas. Je redoute de devoir peser chaque mot avant d'entrer dans le cercle du Guépard. Un adjectif peut le fâcher. Un oubli le rendre fou furieux. Mais comment ne pas évoquer Delon parmi les grands que j'admire ? Et surtout dans un livre dédié à Jean ?

258

Mon frère et Alain s'appréciaient. Parfois, Jean me disait : « J'ai dîné avec Delon. » Sans plus. Les mystères de Delon se propagent à ceux à qui il donne sa confiance. Avec lui, on scelle un pacte. Puis Jean est mort. Alors, chaque soir Alain m'a téléphoné, d'où qu'il soit, pendant plusieurs semaines, pour savoir comment j'allais. Comme un médecin à son patient. Le compagnon d'un deuil. La mort l'obsède, il la redoute en même temps qu'il la poursuit. Chaque disparition lui semble la répétition de sa propre fin.

Son inaptitude au bonheur m'a toujours frappé. J'ai parlé de Belmondo et Delon, rivaux d'hier. Deux hommes ne peuvent être plus dissemblables. L'un fils insouciant d'un sculpteur prix de Rome, enfant chéri d'un foyer bourgeois-bohème, l'autre ravagé par l'enfance. Delon la traîne avec lui. Sous sa pudeur, ses vieux chagrins hurlent encore.

Dans un club très fermé, entre James Dean et Paul Newman, ils sont cinq ou six à avoir été les plus beaux mecs de toute l'histoire du cinéma. Cette année, médusé, j'ai vu revenir dans les rues de Paris et en spots télévisés, pour une campagne publicitaire des parfums Dior, la photo noir et blanc du Delon des années soixante-dix. L'hommage le plus troublant qu'on puisse lui rendre. Il a dû le recevoir déchiré, entre fierté et nostalgie. Un portrait datant de l'époque de *La Piscine*, film

259

mythique pour lequel il fit revenir Romy Schneider de son exil allemand. Trente-cinq ans plus tard, Dior n'a pas trouvé mieux que Delon.

Il a le don de l'amitié. L'amitié virile. Au fond du trou, quand tant d'autres s'écartent, lui, il arrive. Les mondes marginaux et les truands d'honneur lui collent à la peau. Ses codes peuvent surprendre. En 1975, j'étais à RTL, une crise de coliques néphrétiques m'a cloué dans un lit de douleur. Ceux qui l'ont vécu savent le supplice dont je parle. Je n'avais aucune nouvelle de Delon depuis des lustres. Une demi-heure après mon hospitalisation, le téléphone a sonné sur la table de chevet. Tous les amis de Delon connaissent son ton tranchant, ce timbre qui inquiète toujours un peu.

— Allô, c'est Alain. T'as besoin de moi ?
— Mais comment tu sais que je suis là ?
— Ça ne te regarde pas. Tu as besoin de moi, de quoi que ce soit ?

L'affection qu'il a pour vous réagit comme un sixième sens. Une part secrète de lui-même vous accompagne pour l'alerter immédiatement en cas de danger. Une sorte de don entre les Renseignements généraux et l'ange Gabriel. Nous ne sommes pas beaucoup à l'appeler Alain, et je n'ai jamais entendu quiconque l'affubler d'un surnom. On dit Delon. Il a raté des rencontres sublimes, des rôles grandioses, sur un coup de tête. Mais il en a conquis tant d'autres. Ses élans valent ses coups de gueule. Sa susceptibilité en a foudroyé plus d'un, pour des riens, mais il n'a jamais trahi personne.

Abrupt et nostalgique. Insaisissable et fidèle. Quoi qu'il arrive, pour parler de Gabin, de Lino, il sera là. Il est resté orphelin de ces hommes-là. De Gabin surtout, parrain du clan. Delon n'a jamais retrouvé cette fratrie d'hommes simples et géants que lui aura donnée le cinéma, la figure du patriarche avec Jean Gabin, celle de l'oncle Gino, joué par Lino Ventura et lui, Delon, le petit dernier. Depuis, il s'est toujours présenté comme le dernier des Siciliens. Il est resté vivre avec eux de l'autre côté du film et de la vie. Il les a choisis pour toujours avec Melville, Verneuil, Visconti, Lautner, Losey...

Avec Melville, rien n'était calme, les relations houleuses faisaient trembler les scriptes mais Delon sait naviguer sous la tempête. Avec Belmondo au temps de *Borsalino*, les liens ne furent pas tendres non plus, avant, aujourd'hui, de reconnaître d'un sourire qu'ils finissent ex-aequo. « Personne n'a gagné, personne n'a perdu », blague Delon. Les accidents de santé de Belmondo l'ont bouleversé.

Alain est doué pour la solitude. Il vit avec ses chiens, des malinois et des loups de Sibérie. Il m'est arrivé en passant au Berkeley, à deux pas du Studio Gabriel, vers onze heures du soir, de le

voir attablé pour dîner seul, à côté de son garde
du corps, en silence. C'est un loup qui aime les
loups. Il a leur regard. Avec les humains, il a du
mal. On ne sait jamais si on doit l'approcher ou se
sauver. Au Berkeley, plusieurs fois, il m'a dit : « Je
dîne rapidement, il faut que je rentre, un de mes
chiens ne dort pas. Il ne va pas bien. » Et il repar-
tait pour Douchy, à presque deux cents kilomètres de Paris. À toute heure, pour ses chiens, il
est capable de réveiller ses gardiens en disant :
« J'arrive. »

Je suis allé à Douchy. C'est une demeure
qu'on n'oublie pas.

Un jour, il y a quelques années, Delon a eu
besoin en urgence de Mathieu, notre coiffeur.
Mais il est chez lui à Douchy dans l'Yonne et
Mathieu à Paris, Studio Gabriel. Je vois Mathieu
embarrassé. J'appelle Alain et je lui dis :

— Veux-tu que je t'amène Mathieu ? On
arrive. En hélico !

L'hélico est toujours un événement – même
pour Alain qui pourtant en a possédé un. Un engin
magique qui touche à l'enfance, au ciel, au rêve
de l'homme.

Nous nous sommes posés chez lui en plein
champ, sur son hélistation personnelle. Son sourire étincelait.

— Ça alors ! Michel, je t'assure, on ne m'a
encore jamais fait ça, m'amener mon coiffeur en
hélicoptère !

Le temps d'une coupe de cheveux, il a demandé à son gardien :

— Faites visiter à Michel.

Et j'ai fait le tour splendide du propriétaire. Une ou deux maisons d'amis, les bois immenses entièrement clos de murs. Le cimetière des chiens avec les plaques et les noms de chacun d'entre eux. Un peu plus loin dans les bois, j'aperçois une chapelle, encore en travaux. J'entre. Une nef de bois, haute, avec une trentaine de chaises. Le lieu a quelque chose de secret, à la fois simple et solennel. Au fond, devant l'autel, il y a un caveau, une sorte de dalle, avec des emplacements de chaque côté.

Je m'approche, je regarde le gardien.

— C'est l'endroit où M. Delon sera enterré. À côté, ce sont les places pour ses enfants.

C'était fascinant.

Silencieux, je suis resté un moment.

Alain nous a rejoints, et il m'a dit :

— Je veux reposer ici, pas loin de mes chiens. Quand je serai mort, tu viendras là – il m'a montré un prie-Dieu – et tu penseras à moi.

De ce domaine Alain a fait son sanctuaire. Quand il a organisé le championnat du monde entre Monzon et Boutier, il y avait installé un ring pour entraîner le Français. Mireille Darc aussi a vécu là, dans ce lieu qu'elle a aménagé avec tant de goût.

Tout y est beau.

Chaque photo y rappelle un passé flamboyant, des clichés noir et blanc. De temps à autre, une sculpture ou un tableau que j'ai l'impression de connaître pour l'avoir vu dans un musée ou dans les livres. Ses souvenirs sont les nôtres, dans cette promenade éblouissante, un peu grave, très belle. Un film. Une femme. Une importance. Romy. Ses enfants. Delon vit dans une image arrêtée voilà vingt ans. Avec la nouvelle génération, il y a toujours eu un malentendu. Elle n'a pas eu la patience de le comprendre, de déchiffrer le mode d'emploi. Il donnera l'impression d'être en acier trempé quand tant de choses le tourmentent.

La chanson « Mon vieux », de Daniel Guichard et Jean Ferrat, le fait pleurer.

Je l'ai vu rayonnant, magnifique, arrogant, sublime, jamais heureux.

*

Je n'oublie pas beaucoup. Ma mémoire ne me trahit pas encore. Les noms, les visages, les dates à peu près, presque tout me reste. Mon métier, de plus en plus, c'est me souvenir. Je perds plus souvent mes clefs ou mes cartes de crédit que mes souvenirs. Ils me reviennent facilement ; certes, j'y ai travaillé. La mémoire, comme le cœur, est un muscle. Et je n'aime pas oublier. Mon père voulait qu'on se souvienne de tout.

Ma mémoire ressemble à l'incroyable logiciel Google Earth. J'imagine mon cerveau comparable à cette géographie informatique. De loin, il survole le paysage, pour se rapprocher d'un lieu, d'une adresse sur le plan d'une ville ou d'une carte routière. Ils émergent de plus en plus précis, vivants. Je revis par les lieux – toujours ma culture de l'image. Marcher, me promener, rouler, piloter ne signifie pas seulement pour moi sortir, mais aussi découvrir et me remémorer. En plein ciel, je vois à l'horizon des régions, des quartiers qui me rappellent un événement ou toute une époque. À vélo, la focale de ma mémoire cadre les détails du bord des routes, la plaque des rues, les portes cochères. Mon passé est dedans. Une fois au bord des pierres, des trottoirs, je retrouve ceux qui y ont vécu. Je ne suis pas seul, une foule de gens reviennent dans la balade. N'importe où, à Paris comme en province, à vélo ou aux commandes d'un hélico, il y a quelqu'un.

Et le plus souvent c'est toi.

Boulevard Saint-Germain. Je m'arrête, j'ouvre vite la portière. Tu montes dans ma 2 CV. Nous sommes en 1965, 69, 72... Je t'ai reconnu de loin sur le boulevard, en duffle-coat beige flambant neuf et pantalon de flanelle, ta paire de Weston aux pieds.

— On va où ?

— On déjeune au chinois rue Monsieur-le-Prince et on se fait un ciné ?

— Qu'est-ce que tu veux voir, *Le Cuirassé Potemkine* ou *Quand passent les cigognes* ?

Tous les deux, nous sommes amoureux de Tatiana Samoïvlova, comme tous les mecs cette année-là.

Et quand nous avons vu *Les Amours d'une blonde* de Milos Forman, nous avons su que nous épouserions des blondes.

Les rues changent mais ne vieillissent pas. La rue Saint-Guillaume reste toujours celle de deux grandes écoles, même si l'ENA s'est délocalisée à Strasbourg. Ton copain Jean-Claude Brialy t'attend au fond d'un café. Pourquoi n'es-tu pas devenu journaliste de cinéma aux *Cahiers* ? Pourquoi n'as-tu pas fait des films comme Philippe Labro, si doué en tout? Dans la 2 CV, tu ne parles que de Rivette, Truffaut et Chabrol. De Gérard Blin et de Bernadette Lafont. De Godard, Belmondo et Jean Seberg (l'actrice préférée de papa, un soir de fête, il a même rêvé de la faucher à Romain Gary!). Tu aurais pu être patron d'un journal branché comme Bizot, Benamou, Jean-François Kahn ou ton ami Serge July. Toute ta vie, tu as adoré les journalistes. Un rendez-vous avec eux, prévu trente minutes, pouvait durer deux heures. Les journalistes et les artistes. Les mondes où on se parle. Tu trouvais ton bonheur avec Simone Signoret ou Guy Bedos bien plus qu'en recevant au garde-à-vous dans le hall de France 2 un ministre pour le journal de 20 heures.

Même sans toi, le boulevard Saint-Germain reste ta promenade. Là, ton cœur battait plus fort. Aujourd'hui j'y vais moins souvent, mais je me souviens de toutes les fois où à la terrasse des Deux Magots tu m'as chuchoté : « Regarde, c'est Sartre », « C'est de Beauvoir... Laurent Terzieff... ». Tu préférais les créateurs aux décideurs, les intellectuels aux politiques. Tu dévorais les papiers de Jean-Louis Bory, si drôle et si brillant critique cinéma du *Nouvel Observateur*. Tu n'étais pas le seul. Presque tous les patrons ont cette fascination pour les artistes. Je me rappelle d'Arthur Conte, auguste président de l'ORTF... Quand nous enregistrions « Les Rendez-Vous du dimanche » au grand studio 102 de la Maison de la radio avec Françoise Coquet et Rémy Grumbach, le samedi après-midi, on le voyait arriver en se disant : « Tiens, le président vient signer quelques parapheurs. » En réalité, dans sa tenue de golfeur, il venait me glisser : « Croyez-vous que France Gall pourrait me donner un autographe ? » J'ai vu tant de patrons à l'implacable froideur craquer comme des communiants devant une actrice sexy décroisant savamment les jambes pour obtenir un rôle dans leur bureau directorial. Jean, toi aussi, ne me dis pas le contraire – j'ai ma liste.

Bien des choses ne s'achètent pas. Élégance, savoir-vivre, culture... Et rien ne peut acheter la popularité d'un artiste. Un décideur bardé de diplômes ne connaîtra jamais cette sensation de devoir sa carrière à l'amour d'un public, lui qui tient son pouvoir du prince ou de la cooptation de ses pairs.

Parfois, à tes dîners de grands argentiers du PAF, les convives te demandaient une faveur. « Dites, ne pourriez-vous pas venir avec un artiste ? » Souvent ils réclamaient Jean-Claude Brialy – ce qui ne t'était pas très difficile. Avec Brialy au moins on ne s'emmerderait jamais. Ni avec Jacques Chazot. Mais qui parle encore de l'irrésistible Chazot ? C'est d'ailleurs chez Brialy, dans son château de Monthyon, qu'il a trouvé refuge pour mourir seul.

Te souviens-tu de ce dîner avec un Premier ministre où sa femme n'a pas cessé de nous parler... des speakerines de L'ORTF ? « Et Denise Fabre, elle est comment ? Elle s'habille chez qui ?... Et Catherine Langeais, c'est vrai qu'elle est malade ?... »

Et de ce restaurant japonais de l'avenue Pierre-Ier-de Serbie où nous emmenions maman une fois par mois ? Un soir, toute une famille est entrée, des femmes endiamantées comme des sapins de Noël. En s'asseyant, elles m'ont reconnu et sont venues nous saluer : « Bonjour, monsieur Drucker ! Vous savez que vous êtes célèbre au Liban ? »

Maman les regardait, bouche bée.

— Venez donc chez nous avec votre mère ! Ça nous fera tellement plaisir ! On vous envoie l'avion et on vous reçoit à Beyrouth ! On vous voit déjà grâce au satellite. »

Contrairement à mon habitude je suis resté sur ma réserve. Et toi, de marbre. Une fois seuls, toutes ces civilités terminées, maman m'en a fait illico le reproche.

— Dis donc, ça ne te ressemble pas, tu n'as pas été très chaleureux, tu as vu, ce sont des gens très importants.

— Maman, tu sais qui c'est ?

— Pas du tout…

Alors tu lui as murmuré :

— C'est en partie à cause de cette famille si Pierre Bérégovoy s'est suicidé.

Maman est restée sans voix. Pierre Bérégovoy comptait tellement pour elle. Avec nous, elle découvrait le monde du pouvoir et de l'argent. La tragédie qui a frappé les Bérégovoy nous aura touchés de plein fouet tous les trois. Sa mort nous a marqués. J'avais reçu sa femme lors d'une émission consacrée aux épouses d'hommes politiques. Lui était assis au premier rang du plateau de « Stars 90 » au Pavillon Baltard. Il nous avait même invités à l'hôtel Matignon. Maman admirait tant « Béré » parce qu'il incarnait son modèle républicain : autodidacte, d'origine slave comme nous – les Bérégovoy, eux, venaient d'Ukraine. Ce fils d'immigré, employé au Gaz de France et responsable syndical, était devenu Premier ministre de la République française au mérite. Jusqu'au jour funeste où, pour un emprunt de quelques centaines de milliers de francs, des fréquentations maladroites, un piège s'est refermé sur lui. Jusqu'au mercredi matin où un papier dévastateur du *Canard enchaîné* a broyé sa vie.

Quand je traverse la place des Invalides, je suis avec les Bérégovoy. À la fin de sa vie, sa femme Gilberte avait perdu la parole, le traumatisme de la mort de son mari a été si violent qu'elle en est restée muette. J'avais demandé à Gérard Carreyrou, le journaliste le plus proche des Bérégovoy, si je pouvais aller lui rendre visite à l'hôpital militaire. Je la revois dans sa chambre claire. Nous communiquions avec du papier et un crayon. Elle gardait un bloc-notes au chevet de son lit. Quand j'arrivais, elle écrivait : « Je suis heureuse de vous voir. Mon mari vous aimait beaucoup. »

Entre chaque message, son regard me fixait, à la fois profond et perdu. Tant de choses traversaient le silence. Nous nous parlions sans un mot. Mme Bérégovoy avait une dignité lumineuse. Cette droiture qui me bouleverse encore. Elle était tout ce que nous admirions. La dernière fois, sur son bloc, elle a inscrit : « Merci encore d'être venu aux obsèques de Pierre à Nevers. »

De toutes les cérémonies publiques auxquelles j'ai assisté, la pire, je veux dire la plus dure, demeure ces funérailles. Le 4 mai 1993, à l'église, j'étais derrière une colonne, entre Bernard Tapie et Mme Pierre Mendès France. Le protocole n'aurait pas pu me placer dans un paradoxe plus fort, propre au second septennat de Mitterrand. Pourtant, Pierre Bérégovoy affectionnait Bernard Tapie dont il avait fait son ministre de la Ville.

Après la messe, je me trouvais tout près de François Mitterrand lorsqu'il traita les journalistes de « chiens » – personne n'a oublié. Un même frisson a parcouru la foule. Autour de nous, je me souviens du silence et du chagrin de toute une ville, et d'avoir ressenti physiquement ce que la politique peut avoir d'abominable.

Sur son bureau, longtemps, Jean a eu une photo de Pierre Bérégovoy prise avec lui dans les studios de M6. Quand je prends la rue de Varennes, en passant devant l'hôtel Matignon, c'est Bérégovoy que je vois sortir, assis à l'arrière de la berline à cocarde, le visage creusé par l'angoisse. Et quand je retourne parfois à Nevers pour la course amateur organisée par la société Look, le célèbre fabricant de vélos, j'en profite pour aller me recueillir sur sa tombe. Sous les fleurs, Gilberte l'a rejoint.

Tout Paris est ma mémoire. J'aime m'y perdre parce que je n'y suis jamais perdu. J'y vis depuis trop longtemps. Les rues sont comme des lignes de la main. Quand je suis invité au Moulin Rouge, sur le plateau de Laurent Ruquier, pour éviter la place Clichy, je coupe à droite rue Ballu – l'adresse de la Société des auteurs – et via la petite place Vintimille j'arrive directement place Blanche, comme il y a quarante ans. Après l'émission, plus détendu, je peux flâner jusqu'à la place Clichy, lever le nez et voir maman me regarder de son balcon, au-dessus de la pharmacie ouverte 24 h sur 24.

Mais la violence nocturne du quartier a fini par nous inquiéter, avec maman, au cinquième, sans ascenseur. Léon Zitrone ne pouvait plus veiller sur elle, depuis l'autre rive du carrefour, à côté du cinéma Wepler. Nous avons préféré la faire venir rue Saint-Didier, non loin du Trocadéro, plus proche de nous et nettement plus calme. Non sans mal. Par principe, Lola Drucker n'aimait ni le XVIe ni Neuilly. Elle trouvait d'ailleurs navrant que le siège de M6 soit dans cette banlieue « chic ». Dans sa bouche, ce mot-là sonnait comme une calamité. Elle a fini par adorer ce quartier grâce aux pains aux raisins de chez Carette.

L'été, sur mon vélo, sous les cyprès des Alpilles, j'aperçois maman se promener entre ses trois fils, en se plaignant de la chaleur. Pour la énième fois, en soufflant, elle nous fait jurer de nous voir toujours aussi souvent le jour où elle ne serait plus là. On en riait. Ce jour n'arriverait jamais.

Rue Bayard, j'aime toujours donner rendez-vous chez Savy comme au temps où je venais te chercher à la sortie de RTL. Je te voyais débouler avec Jacques Rigaud ou Philippe Labro. Dans les miroirs du hall tu vérifiais d'un coup d'œil si ta mèche et ta cravate tombaient élégamment. Tu me racontais ta journée, les caprices de certains animateurs vedettes.

En fin de semaine, quand je file à vélo vers Longchamp, avenue de Neuilly je ferme les yeux, une seconde, pour voir grandir le chantier de la 6, ta « petite chaîne qui monte » et te rassurer, toi qui le front soucieux te demandais si le mastodonte TF1 n'allait pas vous écraser.

Avenue George-V enfin, au cœur de notre territoire, je passe et repasse devant cet immeuble que j'avais repéré voilà sept ans, une pancarte « Bureaux à louer » suspendue sur les fenêtres ensoleillées du premier étage. L'adresse idéale. Pour mieux te convaincre, je ne voulais rien laisser au hasard. À deux pas, notre table était réservée tous les quinze jours chez Marius et Janette. De chez toi, cinq minutes t'auraient suffi pour venir à pied sans quitter le triangle d'or des stations de radio et des salles de cinéma où tu aurais recommencé à m'entraîner. Rue Lincoln, Claude Berri avait ses bureaux et sa salle de projo. En sortant du Studio Gabriel, je t'aurais retrouvé au Berkeley ou au Tong Yen chez l'incontournable Thérèse, dans ce kilomètre carré où se font et se défont nos carrières. Ensemble, nous aurions adouci cet univers. Poussant vers Neuilly, tu aurais continué d'explorer de bonnes tables. Moins chic que La Maison Blanche au sommet du théâtre des Champs-Élysées, avenue Montaigne. Moins courues que Chez Lipp où nous déchiffrions le tête-à-tête des clients comme autant d'alliances et de stratégies nouvelles. Chez Laurent, avenue Gabriel, le saint des saints, nous aurions continué d'aller marquer les grands jours d'une pierre

blanche dans la haute moquette des sphères ban-
caires. Penché, tu me faisais la salle en murmurant : « Là-bas, tu ne le connais pas, mais c'est l'un
des hommes les plus puissants de France, Jean-
Charles Naouri, le boss du groupe Casino. » Chez
Francis, à l'Alma, c'était mon tour de te pousser
du coude : « Tu vois, là-bas, c'est le manager de
Johnny... Et lui, l'arrangeur de Claude François et
Julien Clerc, il s'appelle Jean-Claude Petit, qui avec
Jean-Pierre Bourthayre vient de nous écrire un
sublime générique pour "Champs-Élysées"... »
Devant cet inconnu, au bar du Fouquet's, tu ne
voulais pas me croire le soir où je t'ai dit : « Mais si,
c'est lui, Jacques Revaux, qui a écrit "Comme
d'habitude". Pas Frank Sinatra ou Paul Anka ! »

On faisait le tour. Le tour de la salle et le tour
des dossiers. De la famille. Le tour de nous. Le
dernier dossier à boucler, le plus délicat, c'était le
tien. Le nôtre. Au beau milieu de nos vies emmê-
lées, derrière les trois fenêtres de l'avenue
George-V, ces bureaux à louer n'attendaient que
toi. J'allais faire graver la plaque de cuivre Drucker
& Drucker. Avec nos cartes de visite. Mais j'ai
dégainé trop tard, sans voir l'urgence. Cent fois, je
l'ai dit. Je radote. Mais j'avais tellement tout prévu.
C'était si bien. C'était la quille et l'avenir, toi et
moi au bout d'une ligne qui avait couru presque
tout droit de la Porte Horloge de Vire jusqu'à l'Arc
de Triomphe des Champs-Élysées. Drucker &
Drucker... De toute notre vie je crois que je n'avais
jamais eu une aussi belle idée, Jeannot.

Les beaux dimanches

Je retrouve la campagne. Cette Haute-Normandie, celle de Dany, qui est le souvenir du bonheur contrairement au bocage de mon enfance. Bonheur des années quatre-vingt quand j'avais quarante ans et des nièces petites filles. Bonheur d'être mieux assuré dans la vie. Ici, nous avions même un court de tennis... que j'ai déserté le jour où le vélo est devenu une passion exclusive. Mais qu'est-ce qu'on aura échangé comme balles au-dessus du vieux filet jadis tendu au milieu des sapins. La maison est nichée dans les arbres. Dany, je ne la connaissais pas encore, l'a découverte à la fin des années soixante. Une vieille maison normande à colombages. Toutes les fenêtres ouvrent sur la nature, un gros tilleul, trois bouleaux, un immense sapin et autour, partout, des prés.

Nous sommes restés longtemps sans venir, préférant le ciel de Provence. Pourtant j'aime être ici. Au vert des week-ends. J'entends les rires et les humeurs de la famille tourner sous les arbres. C'est ici que j'ai commencé à réunir le clan. Grâce à ma femme, j'aurai été le premier à posséder une maison de campagne. Maman et papa, séparés, y sont venus à tour de rôle au fil des années.

Quand je parle de bonheur, avec mon père, il faut rester prudent. « Papa Druck » n'était pas à proprement parler l'invité idéal des fins de semaine. Mais, rétrospectivement, la nostalgie l'emporte et maintenant que nous ne sommes plus que trois au coin du feu, j'en ris aux larmes avec Dany et Stéfanie.

Le week-end chez ses enfants, mon père restait très à cheval sur le timing. Déjeuner à midi trente et dîner à dix-neuf heures trente, horaires paradoxaux pour un médecin de campagne sans cesse tributaire d'une urgence. N'en variant jamais, il arrivait donc en avance. Au moment où la cuisine était en effervescence, les apéritifs pas encore servis sur la table basse, Dany en plein stress et moi à peu près bon à rien. L'angoisse précédait papa d'une rafale de coups de klaxon. Devant le portail automatique soudain résonnait un beuglement. Sans la télécommande, il rageait de devoir finalement descendre de voiture et sonner. Un bon accueil, selon lui, aurait voulu que nous devancions son arrivée pour lui ouvrir à deux battants, sans l'énerver à attendre. Mais Dany et moi étions trop occupés à nous demander ce qu'il allait bien pouvoir manquer pour aller guetter au bord de la route sa 404 Peugeot.

Alors, de l'autre côté de la haie, son klaxon redoublait. Tendu, j'imaginais sa main écraser la sonnette pendant que Dany murmurait d'une voix blanche : « Ça y est, le week-end est foutu. » Enfin nous trouvions le boîtier de ce maudit portail, que nous devions tenir fermé à cause des chiens, la voiture entrait en trombe, mon père en jaillissait et remontait le jardin en gesticulant.

— Le portail n'était pas ouvert, hein !

Un beau dimanche commençait.

Dès le matin, nous tenions conseil de guerre. Récapitulant les points à éviter, les sujets qui fâchent. Pour conclure, Dany posait toujours la même question cruciale :

— Ton père vient passer la journée, comment va-t-on l'occuper ?

Abraham Drucker ne se reposait jamais. Son agitation chronique pulvérisait la moindre notion de détente, de farniente ou de vacances. Et il était « inoccupable », axé uniquement sur son rythme, ses tics et ses tocs, ses urgences. Même s'il n'était pas de garde, ses yeux sans cesse roulaient sur sa montre. Et le dimanche se teintait invariablement de la nervosité de cette vie avec papa.

Jean arrivait plus tard, à l'heure, bien après mon père. Et déjà, entre midi et treize heures, papa faisait les cent pas sur la pelouse en répétant :

— Jean n'est pas là, mais qu'est-ce qu'il fait ?

Il fixait à nouveau sa montre, avant de lancer en rafale :

— Il est en route au moins? Il faut combien de temps pour venir de Paris?... Et il est parti à quelle heure?

— Il arrive, il arrive, gazouillait Dany.

— Alors on déjeune quand?

— Bientôt, papa Druck, bientôt.

— Mais à quelle heure?

— À treize heures.

— Ah bon, c'est nouveau!

L'anxiété montait dans l'œil de Dany. Pour occuper Abraham jusqu'à l'arrivée de Jean, on lui apportait tous les journaux ramassés dans la maison comme on aurait jeté de la viande à un tigre. *Le Monde*, évidemment. Je voyais papa l'empoigner et faire semblant de lire. Mais deux signes d'énervement trahissaient sa tension croissante : le tambourinement de ses doigts sur la table, exaspérant, et son pied qu'il balançait au bout de ses interminables jambes croisées. Ses ongles et ses pieds, ensemble, avec des soupirs saccadés. Et il lorgnait encore sa montre... avant de recommencer depuis le début.

— Et on déjeune à quelle heure, chez vous?

Rien n'allait assez vite. Toute sa vie, il a mangé sur le pouce, vite. Vite. Il ne se posait pas.

Enfin Jean arrivait, je voyais papa se maîtriser et Jean sourire, un peu raide, avant de hausser les sourcils dans son dos, l'air de dire : « Ah non, ça ne va pas (re)commencer! »

Après le café, au soulagement général, papa annonçait qu'il allait faire sa sieste. Mais c'était rare. Hélas, elle s'avérait le plus souvent impossible à cause du déjeuner trop tardif. Si enfin il s'allongeait, chacun soufflait en appliquant la consigne – on suppliait même les piafs de cesser de chanter dans les arbres : plus un bruit, le Dr Drucker se repose. C'était autant d'heures précieuses gagnées sur la paix.

Il ne savait pas s'asseoir, se laisser vivre, prendre le soleil et se taire. Il parlait sans arrêt. Comme moi. Comme Jean. Cette logorrhée est devenue la marque des Drucker. Il fallait qu'il parle. Dans cette maison j'entends tousser sa voix, les quintes de ses bronches fragiles. Patients, endurants, nous tentions pourtant de faire au mieux pour qu'il soit bien. Mais mon père ne parvenait pas non plus à participer aux conversations familiales, toujours hors sujet, pressé de parler d'autre chose, des inquiétudes qui lui traversaient l'esprit, des journaux qu'il avait parcourus en attendant Jean. Rien qu'en survolant les titres, je devinais ceux sur lesquels ils allaient s'engueuler dès le plat de crudités. Si mon père et moi nous sommes peu parlé, Jean et lui n'auront jamais cessé de se quereller.

Je les revois lever les bras en s'éloignant, furieux, chacun à un bout de la pièce ou du jardin. Ces dimanches-là, je voyais se tendre le ressort inusable des réunions de famille. Et même lorsque survenait une accalmie aussi étrange que subite, Jean provoquait notre père. Jusqu'à sa mort, leur lien ne fut qu'une longue dispute. Le remariage de papa et le départ de maman, à soixante-trois ans, venue nous rejoindre à Paris, n'a rien arrangé. Jean portait en lui cette colère sourde. Et leur bataille, vaille que vaille, a duré jusqu'au fameux Noël que j'appellerais le réveillon de la dinde.

C'étaient les fêtes, un jour d'harmonie heureuse. Pourquoi fallut-il, gare Montparnasse, que tu rates papa? Vous ne vous êtes pas vus, pas trouvés. Incapables de vous reconnaître dans la foule et les quais d'une fin d'année. Papa est arrivé seul et en rage chez son fils aîné, avec entre les bras, comme un trophée de Normandie, une énorme dinde. Véronique, ton épouse, s'affairait dans la cuisine. Le dîner serait parfait. Le sapin clignotait au beau milieu du salon. Dany et moi n'étions pas encore arrivés.

À ton tour, tu as surgi en trombe. Presque aussi furieux que papa. Évidemment, la colère d'Abraham n'était pas retombée. Évidemment, tu l'as mal pris. Ce n'était rien qu'un malentendu, un peu d'attente. Mais le ton est monté. Ta femme a voulu s'interposer. Après un silence, notre père l'a foudroyée du regard. Il lui a dit des mots que je ne rapporterai pas, avant de joindre le geste à la parole en lui balançant la dinde du réveillon à la figure.

Papa est rentré en Normandie. Tu es resté avec cette dinde en travers de la gorge pendant des années. Tu n'as pas accepté que notre père juge ta vie, quand toi tu aurais eu tant à dire sur la sienne. Mais aucun argument ne pouvait ébranler Abraham Drucker. Avant de claquer la porte, il t'avait asséné :

— On ne juge pas son père !

Cette année-là, la dinde a eu un drôle de goût.

Papa et toi ne vous êtes réconciliés que quelques jours avant sa mort, le 9 août 1983 à Maussane.

Parfois, quand il voyait dans les journaux la destinée de tes camarades de promo, il me soupirait en aparté sous le tilleul :

— Ah ! tu as vu Catherine Tasca, un jour elle sera ministre, elle…

— Enfin, papa, Jean a déjà fait l'ENA pour te faire plaisir.

— … Et pour aller à la télé. N'importe qui peut faire de la télé !

Notre père faisait pourtant des efforts, il essayait bien de se détendre. C'était comique de le voir regarder un instant les marguerites, les nuages ou caresser nerveusement le chien. Avant de se dresser d'un coup pour appeler la maternité de Vire.

Le soir tombant, il avait le chic pour poser abruptement des questions auxquelles je ne m'attendais pas. Par exemple :

— Mais tu gagnes combien ?

Nous sommes en 1974. Je viens d'entrer à RTL, a priori cette question n'était plus un problème. Et je lui réponds que je commence à bien gagner ma vie.

— Mais cette maison, elle est à qui?

— À Dany.

— Ah bon !

Son pied se mettait à battre dangereusement sous la table. C'est vrai qu'en Normandie comme à Paris je vivais chez Dany. Et que j'en ressentais une gêne.

— Papa, ce n'est pas un problème. Bientôt je pense pouvoir faire construire une autre maison pour les amis, là-bas, au bout du jardin.

— Ah bon, très bien. Une annexe.

Ses doigts martelaient le plateau de la table.

Il me faisait aussi le compte-rendu de ce qu'il avait entendu durant la semaine sur RTL, dans sa voiture au fil de ses visites. Dès l'arrivée du printemps, il se renseignait sur ma situation.

— Et la saison prochaine, tu vas faire quoi?

— Je continue RTL.

Ses cinq doigts recommençaient à pianoter sur la table de jardin.

— Alors tu continues, les chanteurs, tout ça. Et la Valise RTL aussi? Comme si les gens n'avaient rien d'autre à faire que de rester collés devant le téléphone et leur transistor en attendant que tu les appelles pour gagner un pactole.

— C'est très populaire.

— … Alors, si c'est populaire.

Et il me souriait, désarmant.

J'avais l'impression d'avoir mes parents en garde alternée. Quand, le dimanche soir, le portail se refermait sur mon père, la semaine passait vite avant de voir arriver ma mère. D'une voix plus douce, elle me poserait, en gros, les mêmes questions. Et au fil des jours de semaine, c'est moi qui leur téléphonais. L'un et l'autre, je les ai appelés pratiquement tous les jours pendant des années et des années. Et, chaque fois, ils corrigeaient ma copie.

Dany m'a beaucoup aidé à couper le cordon pour entrer dans la vie adulte, laissant enfin derrière moi ce « Mais qu'est-ce qu'on va faire de toi ? » qui m'aura poursuivi jusqu'à trente-cinq ans.

Dans notre havre de paix en pays de Bray, mon père a pourtant découvert un horizon : la carrière de Dany Saval. Toutes ces comédies qui avaient fait d'elle une vedette si populaire et si aimée des années soixante. Son mari précédent et le père de Stéfanie, Maurice Jarre, était donc vraiment ce grand compositeur qui avait signé tant de musiques de films parmi lesquelles celles de *Lawrence d'Arabie* et du *Docteur Jivago*, deux chefs-d'œuvre aux yeux de papa. Mine de rien, il en était impressionné. Et il aimait Dany.

Ici, en Normandie, mon père et ma mère, me voyant entre les mains d'une si bonne épouse, ont commencé à être rassurés pour moi. Le linge éclatant, la table bien mise, tout avait l'air si organisé qu'enfin ils jugeaient une de leurs belles-filles capable et ma vie bien engagée. D'ailleurs, Dany était l'une des rares, dans ces réunions de famille, à pouvoir tempérer mon père. Il souriait de voir combien elle me rendait heureux et combien au fil des années, des dimanches, mon couple devenait solide.

Enfin j'ai pu acheter un appartement à Paris où nous vivons toujours. Il fallait qu'il soit beau, lumineux et grand… Prévenir toutes les critiques parentales. À cette époque-là, j'achetais autant en pensant à mes parents qu'à nous. Mon père est venu voir notre nouveau foyer. J'étais arrivé, j'avais réussi. Le jour de sa première visite, il a baissé les armes en murmurant : « C'est magnifique… » Et il ne m'a plus jamais demandé combien je gagnais.

La mémoire n'est pas seulement sélective, elle est aussi concentrée. Une tonalité, une couleur l'emportent sur toutes les autres. Quand j'y songe, tous nos dimanches en Normandie n'ont pas été cet enfer de comédie sous la houlette d'Abraham Drucker. Bien sûr que non. À la réflexion, il n'est pas venu si souvent, mais ses rares visites provoquaient une telle anxiété que le dimanche suivant j'avais l'impression qu'il était encore parmi nous.

Mon père savait être attentif et gentil, je ne l'oublie pas. Simplement, de lui, je garde cette ombre gigantesque et sonore qui envahissait tout l'espace. Elle abrite ma tendresse pour lui. Jamais je n'aurais voulu d'un autre père que le mien. Et le plus étonnant, c'est que ces dimanches, aujourd'hui, me laissent le goût enfui du bonheur.

Vivement dimanche.

L'adieu aux armes

Hôpital Georges-Pompidou, troisième étage, service de cancérologie. Le jour de la finale de Roland Garros. Un ciel tout bleu. En entrant dans la chambre, j'ai vu le même bleu dans ses yeux, ce bleu de toujours.

Son corps n'est pourtant plus qu'une ombre. Un garçonnet sous assistance respiratoire. Deux jours plut tôt, Anny Duperey m'a fait comprendre que c'était « maintenant ».

Le bout du voyage.

Dans le lit, il paraît cramponné à la paroi d'une montagne. Le bras de fer se poursuit. Entre deux pauses respiratoires interminables, malgré le masque à oxygène, du regard il me fait comprendre qu'il n'a pas l'intention de lâcher prise. La mort attendra. Entre les quatre murs de cette chambre, je le sens s'acharner.

Toutes les images que j'ai de lui défilent. Dans les années soixante-dix, j'étais passé sur le tournage de *Deux hommes dans la ville*, de José Giovanni.

Il débutait aux côtés de deux monstres sacrés, Gabin et Delon. Je ne le connaissais pas mais tout de suite j'ai vu les yeux immenses de Bernard Giraudeau. De ces regards grâce auxquels certaines femmes et quelques hommes n'ont pas besoin de parler.

Bernard ne me parle pas. Apeuré devant la fin, et résolu à gagner. Encore. Ne serait-ce qu'un jour. Deux. Combien de jours? Au bout, il sait pourtant qu'il devra plier. D'un mouvement de tête, il me fait signe d'approcher, à travers son masque, il me demande :

— Où en est Nadal?

À un kilomètre à vol d'oiseau de l'hôpital Georges-Pompidou, la finale de Roland Garros continue. Tout continue. Quand on rejoint un ami aux derniers moments, les souvenirs s'enchaînent comme les tonneaux de la voiture de Piccoli dans la première scène du film de Claude Sautet *Les Choses de la vie*.

Je prends sa main. Que faire d'autre? Pas facile de se parler. Le silence ne finit plus. Sa respiration est difficile sous le masque. Il a du mal à garder les yeux ouverts, visiblement j'arrive à un moment où il souffre trop. Mais Bernard est dur au mal. Lance Armstrong m'a raconté ces chimiothérapies infernales, quand il faut faire face à la douleur comme un bloc au fond de soi. On la connaît trop bien, on la devine, on attend sa deuxième vague qui vous entraîne encore plus loin, jusqu'à devenir si insupportable qu'on ne pourra que la dominer, passer dans un ailleurs. Comme à vélo. Comme le trac sur une scène. Bernard Giraudeau n'est pas seulement acteur, metteur en scène, écrivain brillant, ce petit-fils de cap-hornier parti de l'École des mousses de La Rochelle est avant tout une force de la nature. Un homme qui aime s'éprouver. En dix ans le cancer aura réduit cette énergie à l'état d'adolescent. Au bout du lit, ses chevilles ne sont pas plus grosses que mes poignets. La maladie vous mange. Le crabe vous laisse à trente-cinq kilos.

Sur une image arrêtée, je retrouve le duo splendide qu'il formait dans *Les Spécialistes* de Patrice Leconte avec Gérard Lanvin, les deux plus beaux mecs du cinéma français dont on disait que l'un serait le successeur de Delon, l'autre de Ventura. Ce corps décharné, je le revois solaire, alpiniste au pic des sommets entre les aiguilles de Chamonix dans *La Face de l'ogre*. Dans *Le Ruffian* aussi, encore de Giovanni, son pote de toujours. À travers les torrents et les ravins des épreuves du Raid Gauloise, challenge sportif sans pitié. À l'hôpital, c'est toujours vrai, le combattant repousse la mort. Pas maintenant. Pas aujourd'hui. Voilà dix ans qu'avec Bernard la mort doit repasser. Elle ne l'a pas lâché, mais lui non plus. Je pense au navire-école la *Jeanne d'Arc*, où jadis il a connu la mer. Dans les journaux de la veille, j'ai vu que le porte-hélicoptères achevait sa carrière. Penché vers lui, je lui dis :

— T'as vu, la *Jeanne* est rentrée au port.

— On rentre ensemble.

Avant de m'en aller, je l'embrasse sur le front.

— Et Nadal ?

Je lui donne le score.

Il me serre la main, très fort. Son regard immense s'en va.

Je veux me lever mais il ne lâche pas ma main. Il la serre encore. Il me dit :

— Reste un peu.

Je me rassois, j'attends qu'il s'endorme, sa main serrée dans la mienne. Longtemps après, elle a glissé doucement et je suis parti.

Les jours passent.

Chaque matin je m'attends à entendre la radio annoncer sa mort, à ce que le téléphone sonne à n'importe quelle heure, comme pour Jean.

Une semaine passe.

Et Anny m'informe, à la stupéfaction générale, que Bernard a quitté l'hôpital pour rentrer chez lui, rejoindre Torah, sa compagne, en chambre médicalisée. Qu'il s'est senti mieux.

Coûte que coûte, il va vivre encore un mois et demi. Cela me paraît surhumain quand on sait l'état dans lequel je l'ai quitté à l'hôpital Pompidou. Chaque heure, chaque minute de ces quarante jours, une à une, il les a volées à la mort.

Quarante belles journées de juin et de juillet, de ces longues journées qui n'en finissent pas. Bernard a choisi de partir au beau milieu de l'été.

À Saint-Eustache, le 23 juillet, deux ministres de la Culture sont assis au premier rang, Frédéric Mitterrand et Renaud Donnadieu de Vabres. Lionel Jospin et Bertrand Delanoë aussi, en souvenir de l'île de Ré et d'un engagement politique fidèle au côté des socialistes. Quatre familles sont réunies autour de Bernard, les marins, le théâtre et le cinéma, l'édition, ses copains et les siens... sa compagne Torah, Anny, leurs deux enfants, Gaël et Sarah. Sur le cercueil sont déposés son pompon de matelot et sa casquette d'officier de marine.

C'était un rebelle calme.

J'aperçois sa mère. Patrice Leconte en larmes. Dans l'église, ni orgue ni prière. Ce n'est pas une cérémonie religieuse au sens strict, plutôt une invitation à se recueillir. Le seuil d'un autre monde, peut-être. Le prêtre intervient à peine. Après sa fille Sarah, Lionel Jospin, Bernard Murat son complice de théâtre, puis son médecin ont parlé. En dix ans de maladie, Bernard a fait d'une guerre un parcours initiatique. À tous ceux qui voient la mort dans la frayeur, il aura beaucoup parlé. Aux cancéreux, mot tabou, il aura dit aussi : « Parlez-en, ne rasez pas les murs. » Sa voix n'a pas cessé de porter. Après de nombreux tours du monde, il voulait prendre le chemin de son âme. « La dernière chose qu'il me reste à explorer,

disait-il, c'est moi. » Je crois que, sans cette maladie, il n'aurait pas écrit. Et écrire a été sa dernière
grande joie. Un de ses livres s'intitulait *Les Dames
de nage*, en marine l'expression qualifie les deux
crochets qui sur une barque empêchent les rames
de tomber.

Nous nous croisions, nous nous envoyions des
textos. Malgré la fatigue, je le sentais heureux,
utile. Nous prenions rendez-vous pour déjeuner
mais souvent, au dernier moment, il annulait. « Je
préfère reporter car je suis un peu fatigué… » Je
savais ainsi qu'il sortait de chimio.

À la fin de la cérémonie, silencieuse, sa famille
a formé un demi-cercle, tout simple, autour du
cercueil, en se tenant par la main, puis chacun a
levé le pouce pour saluer Bernard.

L'été avance sous un ciel toujours aussi bleu.
Comme ses yeux à la une de toute la presse. Tous
les journaux parlent de Bernard Giraudeau.

Il en serait heureux et fier.

Comme un gosse.

*

Heureux, comme chaque été, je vois revenir
le Tour de France avec cette fois un supplément
d'âme. L'édition 2010 est aussi l'histoire d'une
dernière ligne droite.

Le Président, le champion américain et moi nous sommes quittés à l'Élysée, voilà trois mois, après un intermède cycliste cocasse. Et, en ce jeudi 22 juillet, le chef de l'État retrouve Armstrong au sommet du Tourmalet après un Tour cauchemardesque pour le vétéran. Si l'un a essuyé, via sa majorité, une sévère défaite aux élections régionales, l'autre endure un calvaire.

À l'arrivée de l'étape, loi du sport et du spectacle, les caméras ne retiennent que les vainqueurs. Gérard Holtz, en compagnie de son invité de marque, est donc naturellement entouré de Andy Schleck et Alberto Contador. Mais j'étais certain que Nicolas Sarkozy tiendrait à saluer Lance Armstrong.

Durant l'étape, on a aperçu le président de la République, à l'arrière de la berline du patron du Tour Christian Prudhomme, heureux comme un simple fan. Ce n'est un secret pour personne, il connaît admirablement le vélo. Et, comme tous les supporters d'Armstrong, il est à la fois triste et impressionné devant ce vétéran de moins de quarante ans, déjà exclu du podium et qui souffre depuis quinze jours.

En le voyant à l'écran, j'ai conscience que ce sont les dernières apparitions de Lance Armstrong. Il va quitter la compétition, raccrocher, prendre un autre chemin.

Un homme s'en va.

C'est une scène poignante, Armstrong pliant devant un Contador presque certain de remporter ce Tour. Dix victoires à eux deux. Et juste derrière, le jeune Schleck, déjà, le successeur, l'homme de demain. Armstrong garde la tête baissée. Contador et lui ne se regardent pas, cette gêne n'échappe pas à Nicolas Sarkozy, qui dit à Gérard Holtz :

— Contador est un magnifique coureur et Lance Armstrong nous donne une leçon de vie.

Souriant, il tente de mettre un peu de chaleur dans cet échange glacial. Mais Armstrong, qui sait si bien sourire, reste de marbre. Le président va faire en sorte qu'ils se serrent la main en sa présence et devant les caméras les deux rivaux ne peuvent guère faire autrement. Gérard Holtz y voit « une véritable passation de pouvoir ». Le moins que l'on puisse dire est que l'expression ne déride pas Armstrong. L'irréductible Yankee n'accepte cette poignée de main que pour faire plaisir au Président, s'obligeant à saluer un homme qu'il déteste autant qu'il en est détesté. D'ailleurs, durant ce bref salut, ils ne se regardent toujours pas.

Nicolas Sarkozy se penche un peu vers Armstrong.

— Je vous ai suivi, c'est difficile cette année… Je sais ce que vous vivez. Je vais essayer votre vélo pendant mes vacances !

Dans les yeux d'Armstrong passe une grande tristesse.

Une semaine auparavant, Lionel Chamoulaud, mon confrère du service des Sports de France 2, m'avait téléphoné de bon matin.

— Dis-moi, Michel, nous faisons Stade 2 depuis Ax-3 Domaines, dans les Pyrénées. Armstrong sera avec nous, tu veux bien être notre invité surprise?

— Mais je suis en Provence!

— On t'envoie une équipe de France 3 Marseille.

Le lendemain, Armstrong m'a donc vu soudain apparaître à l'image, en direct.

— Un de vos amis que vous aimez beaucoup veut vous interroger, c'est Michel Drucker.

Sur le plateau, je le vois détruit par la fatigue. Et je dois lui poser cette question que je n'aurais pas pu, je crois, lui poser s'il avait été en face de moi. Tant de gens me charrient : « Toi qui es tellement copain avec Armstrong, est-ce qu'il t'a refilé sa mixture pour grimper le mont Ventoux?... » Je ne veux pas paraître complaisant envers une star qui est devenue mon ami. Mais cette question est la seule qui m'obsède. Celle que je me pose souvent à moi-même.

— Cher Lance, est-ce que vous n'avez pas disputé le Tour de trop? Je vous ai vu, l'an dernier, dans votre Colorado. Vous prépariez ce Tour de France, vous aviez trente-sept ans. Votre retour a été un exploit... Après une telle performance, fallait-il vraiment remettre ça?

Il hoche la tête, hésitant.

— Oui... peut-être. C'est vrai que je suis fatigué.

295

— Vous êtes davantage tombé en trois semaines qu'en quinze ans de carrière. Comment l'expliquez-vous ?

Quatre chutes, dont une qui lui a fait perdre tout espoir de finir parmi les premiers.

— Un manque de vigilance, peut-être. La malchance aussi. Je me suis blessé... Mais je continue pour mes équipiers.

Pour la première fois, il doit répondre à une question totalement inattendue, celle de l'échec auquel il n'a jamais eu à faire face, lui qui a presque toujours été *le* premier. Sous nos yeux, le champion est en train de se transformer en coureur ordinaire. Dans le Colorado, je l'entends encore m'assurer, avec un sourire éclatant, plein d'espoir et d'ambition, qu'il allait revenir « au top ». Aujourd'hui c'est fini, et ça finit mal.

Le fameux combat de trop a eu lieu. Entre les mots, je sens plus de regrets qu'il n'en exprime. D'autres impératifs, aussi. Sa nouvelle équipe, Radio Shark, sa Fondation, le business. L'homme d'affaires qu'il est se doit de terminer ce Tour de France.

Dès le début de la course il est tombé sur les pavés du Nord. Puis, surtout, tombé dans l'étape Morzine-Avoriaz, se râpant le dos en rebondissant comme un galet, au moment d'attaquer l'ascension, après avoir heurté un trottoir à 65 km/h. Cette montée sera la première station de son chemin de croix. À ce moment-là, en perdant dix minutes il a perdu le Tour et il l'a compris. Dix minutes, pour vous et moi, ce n'est rien. Ce temps suffit pourtant à ce qu'un maillot jaune se transforme en porteur d'eau. Depuis, le roi déchu pédale en sachant que, quoi qu'il fasse, malgré l'acharnement, la souffrance surmontée, il ne montera plus sur le podium. Trop tard.

Moi, je continue passionnément à suivre Lance, à le guetter au coin des images, plus jamais en tête. Il aura un dernier sursaut d'orgueil dans la seconde ascension du Tourmalet, terminant l'étape avec les meilleurs. Sinon, il disparaît dans le gros du peloton. Les caméras ne le cadrent plus beaucoup, tel qu'on ne l'avait jamais vu ni lui non plus. Sans maillot jaune. Aux visages, aux expressions, je devine les spectateurs au bord de la route qui lui jettent au passage :

— Alors, le Ricain, c'est plus pareil, hein !

Lui parmi les sans-grade.

Jamais je n'aurais cru que Lance puisse me rappeler un souvenir de 1989. Cette année-là, j'avais suivi « le Tour des malchanceux ». Les lanternes rouges de la course. Les mal classés, les blessés, les largués, les *greggario*. C'était mon truc, cette année-là. Celle où Greg LeMond a remporté le Tour, battant Laurent Fignon de huit secondes sur les Champs-Élysées. Fignon jusqu'à sa mort ne se consolera jamais de cette défaite; grand seigneur, il n'invoquera jamais pour l'expliquer la blessure à la selle qui l'empêcha de pédaler normalement dans ce contre-la-montre final.

Entre l'infirmerie ambulante du Dr Gérard Porte et la voiture-balai, j'étais tout à la queue de ce formidable serpent dont le public ne voit que la gueule. Souvent un col entier nous séparait du premier qui franchissait la ligne avec quarante-cinq minutes d'avance sur le *gruppetto*, le peloton des damnés. Jusqu'au bout, le chronomètre brillait comme un couperet. Finir tient de l'enfer, parfois. En général, aucun coureur ne peut franchir l'arrivée avec un retard supérieur à dix pour cent du temps du premier. Si le vainqueur du jour a mis cinq heures pour accomplir l'étape, il faut arriver à moins de cinquante minutes derrière lui. Après quoi on est éliminé. Quand les derniers, livides, descendent de leur machine en titubant sur la ligne d'arrivée, certaines stars ramenées en hélico à leur hôtel dans la vallée sont déjà entre les mains de leur masseur.

Aujourd'hui, c'est au tour du grand Lance Armstrong de vivre la situation surréaliste d'un type qui finit loin du maillot jaune. Je me souviens qu'en 1990, le bon dernier du Tour m'avait demandé :

— Michel Drucker, vous voulez bien me rendre un service?... Vous pourriez me présenter Greg LeMond? Je ne l'ai quasiment jamais vu.

Armstrong, au fil de la course, lui non plus ne voit plus souvent le dossard de Contador. Comme si Depardieu redevenait figurant sur un tournage. Comme si Charles Aznavour venait chanter dans les chœurs.

L'homme de fer a découvert le peloton. Cette nasse dangereuse où « ça frotte », roue à roue, guidon contre guidon, jusqu'à tomber parfois gravement. Sous le regard des autres, de ses équipiers et enfin celui, souverain et amusé, de l'Espagnol, hier dans la même équipe que lui. Le jeune rival, l'ennemi mortel, ce Contador devenu conquistador.

Péché d'orgueil, surestimation de soi ? Trente-huit ans ? En finissant parmi les cinq premiers, Lance sauvait l'honneur.

Il en sera très loin.

Lors du reportage chez lui sur les cimes d'Aspen, solitaire et acharné, sûr de lui, ou à Paris, élégant et déterminé, offrant son vélo au Président, il était encore l'étoile du cyclisme mondial, revenu de tout et même d'un triple cancer, testicules, poumons et cerveau.

Après avoir tout gagné, tout vaincu, il sort par la petite porte devant des millions de téléspectateurs, avec en prime la menace honteuse d'être rattrapé par la justice américaine pour des soupçons de dopage. N'empêche, il reste en selle. Chaque matin, sur la route du Tour, une cinquantaine de jeunes gens vêtus de noir parcourent la foule, vendant un euro les bracelets jaunes de sa fondation LiveStrong qui brasse des millions pour aider les chercheurs à vaincre le cancer.

Il y a quinze ans, déjà, Lance était jugé mort. Il pourrait abandonner ce Tour maudit, jeter le dossard, s'effacer. Tout le monde comprendrait.

Non, il va aller jusqu'au bout, jusqu'à Paris.

J'ai aimé cette forme d'adieu, sur Stade 2, au sommet d'un des cols les plus durs. Deux champions de la politique et du vélo, en difficulté. Dans son bain de foule d'été, Sarko vient aussi goûter les applaudissements de Français qui l'accueillent en amateur de la petite reine. Armstrong et Sarkozy, au fond, semblables. Le Président n'est plus non plus maillot jaune, à deux ans de boucler son Tour de France à lui. L'un quitte l'arène tandis que l'autre se promet encore une victoire bleu, blanc, rouge.

Avec Lance, depuis début juillet, nous nous échangions des textos. Le lendemain de sa poignée de main avec Contador, je l'ai appelé et nous nous sommes parlé.

— C'est dur. Mais je cours pour mon équipe.

Au fond, je le sens soulagé.

— J'ai trop souffert. Plus dans ce treizième Tour que dans tous les autres. Je ne sais pas pourquoi. La chaleur, peut-être. Si je n'étais pas tombé, je serais dans les cinq premiers. J'en ai pas bavé comme ça depuis mes chimios.

300

Bientôt, lorsqu'il passera en Provence, j'aimerais bien le voir à la maison. Je sais qu'il rêve de tapenade et de rosé, sans plus surveiller son poids, d'aller flâner au soleil avec sa femme et ses enfants. Il ne veut plus entendre parler d'effort, de contre-la-montre, de côtes et de cols.

Souffrir, c'est fini.

Au fond, je me trompe. Lance Armstrong ne sort pas par la petite porte. Il part dans la dignité d'un anonyme du peloton. Et un dopé ne finirait pas à une demi-heure du premier. Non, il tire sa révérence en allant jusqu'au bout de son amour fou pour le vélo. Pour un sport qu'il aura servi jusqu'à la dernière seconde. Malgré la suspicion, le cancer, les années, la chaleur, l'hostilité, la rage des plus jeunes, des plus forts finalement...

Le Tour 2010 est en train de battre tous les records d'audience. Entre cinq et sept millions de téléspectateurs, chaque après-midi, se rassemblent pour une kermesse qui dépasse le cadre du cyclisme en offrant d'admirables images de la France en juillet.

Et peut-être aussi, j'aime à le croire, pour la dignité d'un beau champion. Qui gagnera sept Tours de France ? Hinault en a gagné cinq. Merckx, cinq. Lui, sept. En nous quittant, claqué, fondu dans le peloton, au bout de sa dernière ligne droite, Lance Armstrong entre dans l'histoire.

*

J'ai le souvenir de l'un de nos derniers dîners d'été avec Jean dans un restaurant de Fontvieille, tout proche du moulin d'Alphonse Daudet. Ce soir-là, je lui avais présenté Charles Aznavour. Je faisais se rencontrer les deux modèles de ma vie, Jean et sa difficulté d'être heureux, avec l'artiste le plus serein que je connaisse. Celui que je cite si souvent en exemple. C'est par Dany que j'ai connu Charles. Ils se tutoient depuis les années soixante, moi je le vouvoierai toujours.

Soixante-dix ans de carrière – il était sur les planches dès l'âge de huit ans. Sans jamais avoir tourné le dos à la jeunesse. Encore aujourd'hui, tout intéresse le patriarche de la chanson. À quatre-vingt-six ans, il est attentif aux textes de Grand Corps Malade comme aux derniers rappeurs du 9. 3. À l'affût. Un môme de vingt-deux ans, Charles va aller l'écouter.

Dans une petite salle, en France ou ailleurs, il trouve toujours le temps d'aller voir un débutant, un espoir. C'est lui qui un soir me téléphona enthousiaste :

— J'ai vu une petite au festival de Montreux, elle s'appelle Linda Lemay. Il faut absolument que vous l'invitiez. Elle passe à Paris bientôt, à L'Européen. Je vous emmène la voir, si vous voulez.

Au lieu de redouter la concurrence et la relève, il est ravi d'accueillir la nouveauté.

Il trouve le bonheur dans la curiosité, les talents d'autrui. D'ailleurs il est l'éditeur de l'autre grand Charles, pas de Gaulle, Trenet, qu'il considère comme l'un des plus grands poètes français. Jamais à la mode, jamais démodé, Aznavour respire l'air du temps. Aux quatre coins du monde il se lève tôt, attrape son appareil photo ou sa petite caméra, et sort. Vous pouvez le croiser dans le Village à New York, à Tokyo, Rio, Barcelone, à pied, tout seul, son Nikon en bandoulière. Le soir il chante, le jour il chemine en touriste qui veut tout voir. C'est un homme libre, indépendant, courtois mais farouche, sans la moindre cour. D'un magasin à l'autre, une galerie, un musée, Charles est un piéton contemporain en vêtements colorés, sous un élégant chapeau de paille.

Aujourd'hui classé comme le chanteur du siècle par les Américains, pas un artiste à ses débuts n'aura pourtant été plus rabaissé, humilié, voire insulté par la critique. Dans la bande de Piaf, on évoquait Montand ou Bécaud, Aznavour n'était que « le petit », à tous points de vue. Comment pouvait-il parler d'amour avec un tel physique, chanter la séduction avec une telle voix ? Certains l'appelaient « le nabot », en lui reprochant sa tête, son nez, sa taille… Lorsqu'il en parle (rarement), je me demande comment il a pu surmonter tant de méchanceté. Mais, comme il dit, en sang-mêlé venu de loin : « Chez nous, survivre est une habitude. »

En Provence, lorsque je m'arrête chez lui à Mouriès presque chaque été, même très tôt, pour remplir ma gourde, je sonne et Charles vient m'ouvrir. Je lui ai fait quitter sa table de travail ou ses synthés. À peine m'a-t-il salué qu'il me lance :

— Écoutez ça, Michel !

Et je découvre l'intro d'une nouvelle chanson prévue pour 2012. Il a la vie devant lui, des projets pour cent ans.

Il a connu la Provence en se baladant avec Piaf du coté des Baux, ensuite il est revenu en tournage et, voilà une dizaine d'années, il a choisi de s'y fixer en y construisant sa dernière maison. Charles en a eu tant. En Suisse, aux Amériques. Pour changer d'atmosphère, tourner une page, il changeait d'adresse. Comme Michel Sardou. À chaque album presque, une nouvelle maison. Il a vécu la ville et les champs, l'Hexagone et l'étranger, en citoyen du monde. La critique et le fisc aussi l'ont fait fuir. « Puisque c'est comme ça, je m'en vais », avait-il fini par répondre à la France de Giscard. « Je vais aller voir ailleurs, sillonner le monde, me cultiver. » Et il l'a fait. De cette fuite a découlé sa renommée mondiale. Charles Aznavour est un peu chez lui partout.

Il a commencé par le Québec avec son ami Roche, du fameux duo Roche et Aznavour que tous les Québécois ont encore en mémoire. Opiniâtre, il a créé des chansons qui elles aussi ont fait le tour du globe. À quatre-vingt-six ans, il chante sur cinq continents. Les mômes de vingt ans, dans les « Star Academy » et autres « Nouvelle Star », reprennent ses titres légendaires.

Pour moi ce petit homme est un géant. Il pourrait soulever des montagnes en souriant. Jamais de mauvaise humeur, toujours disponible. Libre. Serein. Et courageux. En 1970, qui chantait l'homosexualité de « Comme ils disent » ? Aucun sujet ne l'effraie. Quel jeune de vingt ans ne s'est pas retrouvé dans « La Bohème » ? Quel fils n'a pas été ému en écoutant « La Mamma » ? Qui ne s'est pas vu, rêveur ou ambitieux, en haut de l'affiche comme dans « Je m'voyais déjà » ? Quel couple qui vieillit mal ne s'est pas reconnu dans « Tu te laisses aller » ?

Il a la bougeotte. Il aime partir, boucler la valise. Au début du mois de juillet, vous le croisez en dilettante :

— Charles, qu'est-ce que vous faites cet été ?

— Je suis là, je ne bouge pas... Je vais juste chanter à New York le 15, en Italie le 19, quelques jours à Rio et je reviens.

De quoi assommer n'importe quel quadra voyageur. Pas lui. Il sait se préparer, s'économiser. C'est le champion du monde des fauteuils relaxants. Des sièges convertibles sensationnels qui vous massent le dos, la nuque, la plante des pieds, en régulant la circulation et le rythme cardiaque.

305

De vraies usines à gaz. Chaque année, chaque voyage voit arriver un modèle plus perfectionné. Le dernier, dans le hall de sa maison, possède un tableau de bord digne d'un engin spatial. Et c'est le roi du télé-achat mondial pour les articles de remise en forme. Dont une ceinture lestée pour marcher dans l'eau qui fait mon bonheur.

Repas réguliers, légers, surtout le soir. Pas de tabac. Un bon vin (il a une belle cave). Hygiène de vie exemplaire. Couché et levé tôt. Enfin, c'est un téléspectateur tout-terrain, connaissant les programmes mieux qu'un patron de chaîne.

Tout est fidélité chez Charles. Le succès, les amis, et l'amour aussi, avec Ulla son épouse scandinave depuis quarante ans. Sa fille Katia chante avec lui. Le clan est resté soudé autour du parrain. Ce qui lui fait dire, tranquille : « Je peux chanter encore vingt ans, environ… »

Il est même devenu beau. Ce à quoi il répond, malin, qu'il a fait ce qu'il fallait au niveau capillaire : « J'ai beaucoup planté… Et le plus beau cadeau que m'ait fait Piaf, c'est mon nez. »

Sans amertume et sans blessure, Charles Aznavour m'a appris à rester de marbre devant ceux qui vous ont démoli. Lui réussit l'exercice admirablement. Comme quoi la mémoire n'est pas forcément rancunière.

J'aime le faire parler. Il est le dictionnaire vivant de la chanson. Un jour je lui ai demandé si dans « La Bohème », la chambre qu'il chantait existait vraiment. Cette chambre qui « veut dire on a vingt ans ». Montmartre et ses années trente. Tristes cachets et grosses galères. Sur la butte, il m'a emmené au pied de la maison où il a longtemps partagé une soupente avec son compagnon de vaches maigres, le couturier Ted Lapidus.

Pour Le Luron qu'il adorait, il a écrit « Nous nous reverrons un jour ou l'autre », hymne magnifique avec lequel Thierry a bouclé son dernier tour de chant, se sachant déjà malade. Pour l'Arménie, lors du tremblement de terre d'Erevan, il a téléphoné à tout le métier. Depuis des années il se bat pour que la Turquie reconnaisse enfin le génocide arménien.

Il n'oublie rien sauf, parfois, les paroles de ses chansons, mais il s'en amuse.

Il fait, tout simplement.

Sa dernière passion sont ses oliviers. Après en avoir planté beaucoup, presque autant que de cheveux, en amateur, il récolte son huile.

Du milieu de ses champs il me crie en riant :

— Je ne suis qu'un petit producteur. Je débute...

Mon hypocondrie l'impressionnant sans doute, il me fait l'honneur de me confier sa santé. Il me surnomme généreusement son « généraliste » et un brin de mon rêve enfoui se réalise avec un patient à la fois prestigieux et docile. Au moindre souci, il me passe un coup de fil et nous choisissons ensemble, selon les maux, parmi les dizaines et les dizaines de noms qui remplissent mon agenda, le bon spécialiste qu'il va consulter sur-le-champ. Je connais l'état de ses yeux, de ses bronches aussi bien que les miens.

— Comment allez-vous, Charles ?

— Dites, je suis rentré du Japon avec une petite gêne respiratoire.

— Pas de problème, je m'en occupe.

Et je lui prends rendez-vous à l'hôpital Cochin, avec le Dr Dusser.

Il peaufine son prochain album et un nouveau tour de chant pour 2012, renouant avec la salle de ses débuts, l'Olympia. Il aime conduire, il aime marcher, il aime ses labradors. En fait, rien ne me vient qu'il n'aime pas... sauf ceux qui font des fautes de français à la télévision. C'est le sage de ma vie. Le voir, c'est croiser la sagesse. Aucun documentaire ne lui a encore jamais été consacré et j'aimerais réaliser le seul portrait officiel d'Aznavour le Grand. Peut-être parce que nous avons le même âge, aussi. À un cheveu et une inversion près, 86 ans, c'est comme 68. L'âge qu'il a l'air d'avoir.

Il ne montre rien de ses chagrins, de sa détresse ou de ses tourments pour n'en encombrer personne. Ce que je préfère chez Charles aujourd'hui, ce que je lui envierai demain, c'est son bonheur actif. L'impression qu'il donne, à moi qui la redoute, de vivre à travers la vieillesse ses plus belles années. Comme s'il avait traversé l'existence dans cette petite voiture de golfeur avec laquelle nous sillonnons, enchantés, ses champs d'oliviers.

Merci, Charles.

12 août 2010

Je n'aime pas les secrets. Les vrais secrets. Ceux des familles, enfouis sous leur chape de plomb. Qui n'en a pas ? Vous, moi ; qui ne partira pas avec les siens ? J'ai du mal à les garder pour moi. Souvent ce sont les blessures de ceux que nous aimons.

Un homme, une femme, un couple, c'est toujours un mystère. Qui n'a pas vécu au bord d'un secret ?

Nous sommes le 12 août, jour de ton anniversaire. Il ne fait pas très beau. Je vais partir à vélo pour garder ma forme, la ligne, à l'horizon de la rentrée. Aller jusqu'au cimetière d'Eygalières et passer chez toi à Mollégés.

Aujourd'hui sera aussi la fin de ce livre.

En roulant face au mistral, je gamberge. Penser m'aide à supporter la douleur musculaire. Le vélo vaut bien le psy. Dans un col ou sur une longue ligne droite balayée par le vent, on se raconte, on se remotive, on s'engueule. On en bave. Mais on a tellement l'impression d'être vivant. Tout le corps, de la tête aux pieds, parle.

Mais aujourd'hui c'est moi qui dois parler.

Lola Drucker
1906-1996

Bonjour, maman.

Au dernier jour des vacances d'été, comme chaque année je viens au rapport. Dany t'embrasse. Tu es bien, face à la montagne, avec notre sœur Monique? Tu avais choisi Eygalières, comme les parents de Dany. Encore le hasard. Nos deux familles reposent désormais côte à côte sous des caveaux jumeaux, à peine à deux kilomètres de chez nous, à la sortie du village, vers la chapelle Saint-Sixte.

Papa, lui, n'est pas bien loin non plus.

Jamais je n'aurais pu imaginer mes parents à mille kilomètres de moi, d'aller fleurir leur tombe une fois l'an à la date officielle des morts.

Vas-y, pose-moi la question rituelle, la même qui a traversé tant d'années à l'approche de septembre : « Alors... Est-ce qu'on te reprend à la rentrée ? » Au lycée, vous me la posiez déjà. Oui, maman, on me reprend encore à la rentrée sur France 2.

Oui, j'ai payé mes impôts.

Oui, j'ai cotisé. J'ai tous mes trimestres, comme tout le monde j'ai droit à une retraite.

Non, je ne fume pas.

Parfois, le dimanche, en imaginant que tu me regardes, je me redresse sur le canapé rouge et je fais attention à ce que je dis. Mais, à quoi bon, reconnais que la plupart du temps tu ne te souciais que de ma cravate et de ma coiffure. Le reste n'était que de la télé pour toi. Le terrain de jeux de ma drôle de vie.

C'est vrai que je ne porte plus de cravate. Tout évolue, maman, même le dimanche. Ne te mine pas. D'ailleurs, il m'arrive de la porter encore. Pour recevoir Jacques Chirac, tu as bien vu que j'avais une cravate. Le jour où, pour la première fois, je suis apparu à l'antenne en col de chemise, quel savon tu m'as passé…

Si, si, un savon.

Et ne recommence pas avec Coluche, s'il te plaît. S'il était encore de ce monde, je l'inviterais même en bermuda. Je sais que tu ne l'appréciais pas beaucoup… Mme Cadot, ta gardienne d'immeuble, non plus. Ah! Mme Cadot. Aujourd'hui, je peux bien t'avouer que je la redoutais autant qu'un critique de *Télérama*.

Quand je passais devant sa loge, en fin de semaine, à la façon dont elle me lançait : « Ça va, Michel? », à son coup de menton et ses œillades, j'avais une idée de ton humeur, là-haut. Si tu ouvrais la porte en m'appelant « Michou », RAS, tout allait bien. Si tu disais « Mon petit », le ciel se couvrait. Avec « Michel »... l'orage grondait. Quant à « Mon petit Michel », alors là, ces trois mots annonçaient la tempête. Papa et toi, quand vous cessiez de m'appeler Michou, c'était toujours mauvais signe. J'entends encore papa m'inter-peller d'un « Mon petit Michel, il va falloir qu'on parle ». Mon estomac tombait dans mes chaus-settes. L'heure avait sonné de me parler en adulte et être adulte c'était horrible.

Au fond Mme Cadot m'aura été bien utile. Au rez-de-chaussée de la rue Saint-Didier, c'était le sémaphore qui m'annonçait la météo du cin-quième étage. Prévenu, à peine entré, parfois je ne te laissais pas en placer une. Illico, je prenais les devants.

— Maman, je sais ! Je sais que Bigard a encore dit « bite » et « couille », c'est i-nad-mi-ssi-ble !

— Je ne te le fais pas dire.

Jamais je n'ai dénoncé Mme Cadot – on ne dévoile pas ses sources.

— Ces mots ! Mon petit Michel, comment est-ce possible ? Dans tes émissions, n'importe qui vient dire n'importe quoi ! Déjà que la salopette de Coluche...

— Sans sa salopette, ce ne serait pas Coluche.

— Regarde Guy Bedos comme il est toujours bien mis, avec un beau costume. Moi je te dis que cette salopette et ce nez rouge sont humiliants pour ceux qui portent une salopette. Le serrurier que je connais, il en porte une... eh bien, je suis certaine que cela ne lui plaît pas.

De toute façon, Coluche a vite troqué sa salopette pour un blouson noir. Ma petite maman. Probablement qu'un jour moi non plus je ne comprendrai plus très bien dans quelle époque on vit.

J'ai vu Jacques. Il va venir t'embrasser. Jacques, ton petit dernier, loin de notre vie de fous. Celui qui aura relevé le gant pour devenir un grand médecin, quittant le foyer pour étudier à la faculté de médecine de Caen. À cette époque, tu lui amenais ton cabas à provisions ; pâté de foie, cornichons, charcuterie... tu bourrais ses placards. En maman acharnée à la réussite de ses fils. Tu n'as vécu que pour nous. Et tu voulais tant que Jacques réussisse son internat. Ce qu'il a fait, à Tours, ville où papa avait jadis posé ses valises de carabin migrant de Roumanie. Le hasard, encore. Chez moi aussi, quant tu arrivais à Paris dans mon studio à Montparnasse, tu vidais ton cabas. En découvrant que Michel Rocard et Françoise Giroud habitaient l'immeuble, tu as poussé un soupir de satisfaction.

Je finis un second livre, je sais bien ce que tu vas penser : « N'imagine tout de même pas que tu vas avoir le Goncourt ! » Le Goncourt. Et pourquoi pas le Nobel. Toujours le top. La référence. L'excellence.

Avec papa, vous nous aurez quand même un peu flingué nos vies à force de vouloir faire de nous des maillots jaunes.

Tout va bien, maman. En cette fin d'été je peux te donner des nouvelles du clan. Jacques va bien, j'ai un œil sur Léa, devenue une comédienne qui compte. Je conseille Marie, mais en a-t-elle besoin ? À l'exception de Jacques, finalement nous serons tous devenus saltimbanques. Malgré son sérieux journalistique, je crois que même Marie se sent saltimbanque. Stéfanie, ma fille, décoratrice scénographe. Vincent, le fils de Jean, va sur ses treize ans, si vif et si drôle. Peut-être suivra-t-il aussi cette voie. Sa maman Anaïs n'était-elle pas comédienne avant de rencontrer son père ? Jacques, son épouse Maryam, leurs filles Camille et Eva viennent de passer dix jours chez nous. Léa nous a rejoints. Ils sont tous venus t'embrasser.

Rebecca, la fille de Stéfanie, ce bébé que tu as eu le temps de tenir dans tes bras, mesure 1,75 mètre, elle a les jambes de Dany. Comme sa mère, elle est douée pour le dessin et déjà elle aimerait faire de la mode son métier. Elle vient d'effectuer son premier stage chez Chanel, avec Karl Lagerfeld. Stéfanie appelle toujours Dany trois fois par jour. Elle prépare plusieurs décors de théâtre pour la rentrée. Mais c'est une anxieuse, elle aussi, angoissée par la page blanche.

Je continue « Vivement Dimanche » et, tu vas être contente, nous allons reprendre « Champs-Élysées ». Tu aimais le rythme du générique, le chic du plateau, l'orchestre des grands soirs, les limousines. Souvent, tu venais te faufiler aux répétitions. Stéfanie planche sur le nouveau décor. Avec Mme Cadot, vous allez pouvoir recommencer à commenter les robes du soir.

J'essaie d'être ce que papa et toi m'avez demandé : « le point de ralliement ». « C'est normal, me disais-tu, puisque c'est toi qui gagnes le mieux ta vie… L'essentiel est que vous restiez ensemble, groupés. » Marie et sa maman Véronique sont à Maussane. Jean a eu sa maison à Mollègés. Jacques séjourne à Eygalières. Et papa repose au pied des Baux. Autour de cette idée de rassemblement s'est dessinée notre grande maison dans les lavandes et les oliviers. Cette année, tu peux être heureuse, j'ai eu tout le monde. Je suis le point de ralliement. Un jour, j'aimerais recevoir Vincent. Et bientôt mon plus grand bonheur sera de réunir le clan au complet, au moins une journée, peut-être l'été prochain. Tous.

Oui, je dors bien.

Je mets une casquette et je ne roule pas à midi en plein soleil.

Écoute, maman, je voudrais te confier quelque chose mais il faut d'abord que j'en parle à Jean.

À neuf heures, le Café du Progrès est encore calme. Mon casque posé sur la table à côté d'un café et d'un croissant, je réfléchis.

Le mistral se lève.

Dans ce cas-là, mieux vaut rouler sur du plat. Même le vent me pousse vers Mollègés. Avant je vais prendre la route de Noves, puis le chemin de Bouscaron jusqu'à la maison de Jean.

En jetant un œil sur le cardiomètre fixé au guidon, je vois mon cœur accélérer. De 80 à 100. Cent battements à la minute, en quelques secondes, le temps que revienne ce week-end de Pâques 2003. Comme chaque fois que je passe sur cette petite route.

Je pédale pourtant lentement.

Comment trouver les mots qui conviennent à la fin de ce livre ? J'hésite, j'hésiterai toujours. Mais rouler m'aide à y voir clair. Ce que je dois te dire n'est pas si terrible, Jeannot, il y a des vérités plus douloureuses. Et puis est-ce vraiment une souffrance ? C'est un aveu. Sans vouloir te contrarier, je veux te parler. Mais je ne voudrais pas être accusé d'impudeur. Entre la vérité et l'impudeur, comment choisir ? Depuis sept ans je n'ai pas fait le tour du secret que j'ai sur le cœur. Depuis l'année de ta mort. C'est assez long sept ans. Dans deux ans, j'en aurai soixante-dix. Toujours l'inquiétude du chiffre 7.

12 août 2010

Comment te dire ça, comment le sortir de moi?

À tes obsèques, au milieu de la foule, est venu un couple que je ne connaissais pas. Ils nous ont embrassés le long de cette allée, tous, toute la famille, à deux pas de la fosse. J'ai vu alors cet homme pour la première fois, sans savoir qui il était. Je ne l'ai su que trois mois plus tard. On ne peut pas tout connaître. Tout anticiper. Quelques semaines après ta mort, j'ai reçu une lettre, très belle. Celle d'une femme qui me parlait de son mari. Elle me l'a envoyée sans la lui faire lire. Seule, elle a pris sa décision. Sa lettre n'appelait aucune réponse. D'autres lettres et des photographies y étaient jointes. De *lui*. En les regardant de plus près, la vérité m'a sauté aux yeux.

Cet été-là, la porte d'entrée de l'appartement s'est ouverte et j'ai vu entrer notre père. Papa tel qu'il était à cinquante ans, le même, grand, mince, la même silhouette, une barbe en plus... Cette gueule de métèque, de juif errant que chante Georges Moustaki. Un de ces visages qui viennent de loin, je ne parle pas seulement de l'Europe de l'Est. Je parle de la géographie de la mémoire. J'ai vu entrer Abraham Drucker, tu comprends ? Et mon frère jumeau en quelque sorte. Mêmes pattes d'oie, même profil au nez busqué. Le nez des Drucker. Une voix douce. Pas un Normand de

319

Normandie, blond comme ses parents, non. Grand, sec, brun, encore plus haut que papa, légèrement voûté, j'ai vu entrer un Drucker. Un inconnu plus jeune que nous d'une dizaine d'années. J'avais lu sa vie dans la lettre de sa femme. Son enfance, son parcours. Le destin a voulu que deux mois avant ta mort il apprenne enfin par sa mère qui il était vraiment. Il s'en doutait, mais le voile n'avait jamais été levé.

Ce jour-là nous nous sommes rencontrés pour la première fois.

Nous nous sommes embrassés.

Stupéfaits.

Tout de suite j'ai pensé que le trio se reformait. Trois. Les trois fils d'hier. Pour atténuer mon chagrin sans doute. Avec lui le destin m'offrait de combler un peu du vide que tu laissais. Ne le prends pas mal, Jean. Comme si la vie avait continué, plus forte que nous. J'ai vu ce garçon comme un cadeau, une chance. Lui aussi m'a dit avoir ressenti de la peine au cimetière de Passy, le chagrin de devoir te quitter sans t'avoir connu.

Un secret ronge les années. Depuis sept ans je m'interroge sur ce qu'aura été son existence. Lui qui a été si longtemps de nulle part. Dans ses yeux, une douleur m'a fait mal, une ombre, quelque chose du passé qui ne passera jamais. Lui non plus ne guérira pas de son enfance. Il est aussi silencieux que nous sommes bavards. À travers les villes et les campagnes, dans les familles, combien y a-t-il d'enfants comme lui, qui portent une faute qu'ils n'ont pas commise ? Je sais qu'il n'a pas été aimé comme les autres. Placé dès sa naissance chez une grand-mère, comme en nourrice, exilé, anorexique. Un Ashkénaze à la table des Vikings. Des centaines de dimanches, toute une jeunesse, pendant que nous vivions la nôtre à l'autre bout du département. Penses-y, Jean, comme j'y ai pensé. J'ai tellement gambergé avant de te parler.

Après la lettre et sa visite chez nous, je suis allé voir sa mère, une dame âgée et malade. Depuis cinquante ans, elle garde tous les articles touchant de près ou de loin la famille Drucker. Sans le savoir, nous avons hanté cette maison. Elle a ouvert la porte et m'a regardé sur le seuil. Sans un mot. Elle ne pouvait pas parler. Ça a duré l'éternité. Trois minutes de silence. Je lui ai tendu mon livre dédicacé. À la fin elle m'a seulement soufflé :

— Michel, vous savez, votre père a bouleversé ma vie.

Et je suis parti.

Son fils n'avait pas voulu m'accompagner dans la maison. Il est resté dans la voiture garée un peu plus loin. Quand je suis revenu, je l'ai vu effondré sur le volant.

Papa voulait que je réponde à toutes les lettres, il ne m'aurait pas pardonné de laisser sans réponse celle-là qui pourtant n'en réclamait aucune. Qui ne demandait rien. Cet homme a réussi sa vie, il a une belle famille, une grande maison avec un parc planté d'arbres splendides. À lire sa lettre j'ai compris combien sa femme l'aimait. Combien elle avait souffert de le voir mal dans sa peau.

Papa ne l'a jamais perdu de vue, il l'a encouragé, aidé dans ses études, sans jamais lui dire la vérité. Mais il a été présent à tous les moments importants de sa vie. Ma conviction intime est qu'Abraham aurait aimé qu'on le connaisse. Oui, il aurait pu faire en sorte que cela soit possible de son vivant.

Si elle était là, maman en me voyant m'attacher à ce garçon aurait fini par me dire : « Amène-le dimanche à la maison manger le strüdel. » Maman aurait dit cela, Jean, tu es d'accord avec moi ? Elle l'aurait même aimé, je crois. Tu m'écoutes, tu comprends, là où tu es ? Je te parle depuis tant de pages, j'ai tellement noué et dénoué les fils de notre histoire, je ne peux pas finir sans te le dire. Sans le dire. J'ai tant parlé de nous, de la famille, je ne peux pas continuer à réduire cet homme au silence. Au secret d'où il vient. Ce livre sera public et je l'assume aussi pour réparer. Pour dire que ce fils existe, qu'il est revenu dans le cercle. Qu'il est des nôtres. Au fond, comme les Trois Mousquetaires, nous sommes quatre. Une fois, au début, je l'ai présenté comme un ami et j'ai vu un pincement dans ses yeux.

Seul, je prends ma décision, en pensant à toi et à maman. Vous comprendrez. Vous me comprendrez. Moi, je le reconnais et j'en suis heureux. C'est une histoire d'amour même si je ne l'ai pas encore dit à maman pour ne pas la blesser. Je voudrais que plus personne ne soit blessé. J'ai soixante-huit ans, l'âge de dire et d'écrire ce que l'on a sur le cœur.

Maintenant ce secret est fini. Il a droit à la discrétion du bonheur.

Cette irruption a troublé ma vie. Moi aussi, je me suis senti un enfant différent. Perdu, décalé. Enfin, cet événement considérable me rapproche d'un père que j'ai aimé sans pouvoir m'en sentir proche. Il ressemble tellement à Abraham, si tu le voyais. Chaque fois que je le retrouve, instantanément papa revient. J'ai prévenu Marie et Léa, elles le connaissent et l'aiment beaucoup. J'ai informé la famille. Certains resteront silencieux en lisant ces lignes, un silence que je devine de désapprobation. Peu importe, c'est ma vie. J'en ai fini avec les « Mais qu'est-ce qu'on va faire de toi ? » La famille a assez pesé sur moi pendant des années. Fini de rendre des comptes. Je suis un homme libre. Et enfin si ma notoriété peut donner une forme d'état civil à un être qui m'est devenu cher, cela me semble la moindre des choses.

Ne restait à prévenir que maman et toi, qui m'importez le plus. Cette affaire entre moi et moi est aussi une histoire entre nous. Sans doute aurais-je dû t'en parler plus tôt, je sais bien.

Je voudrais que ce garçon sorte de l'ombre. Qu'il soit libéré. Heureux ? Sans en vouloir à personne. Toi non plus, Jean, n'en veux pas à papa. Tu te souviens du jour de votre dernière engueulade, celle qui fit que vous ne vous êtes pratiquement plus revus jusqu'à sa mort ? Quand il t'avait lancé, furieux : « Je suis ton père et tu n'as pas à juger ma vie ! »

Vivre est une histoire d'amour. Et un livre une forme de reconnaissance. Je pourrais en dire davantage, raconter chaque minute de la fin de ce secret venu chambouler mon existence que je croyais bien réglée. Comment nous nous sommes retrouvés. Ce qu'il m'a dit précisément. Les questions, les silences, le poids sur le cœur. Mais l'aventure reste entre lui et moi. Je l'ai prévenu de ce livre, il m'a dit : « Fais comme tu le sens. »

Je sens qu'il existe et je le reconnais. Nous nous voyons de temps en temps. Sa femme, Martine, m'a dit qu'il avait changé. Qu'il s'était « apaisé » – un de mes mots préférés. Alors, c'est bien. Dis-moi que j'ai raison. J'ai perdu un frère et j'en ai retrouvé un. Pour moi il est le benjamin. Je vais bientôt t'amener Patrick. À Passy nous allons venir te voir et je te dirai tout le reste. Si tu veux bien, j'aimerais présenter mon frère à mon frère.

Si tu savais comme je t'aime. Je t'embrasse fort, mon Jeannot.

Remerciements

Merci à mon complice Jean-François Kervéan qui une fois encore a su mettre en musique la partition de ma vie et celle de mon frère Jean. Avec Jean-François, j'ai pu m'aventurer sur le terrain si périlleux de l'intime.

Merci aussi à vous, chère Françoise Delivet, mon éditrice et ma première lectrice, de votre regard et de m'avoir suivi tout au long de cette traversée avec autant de rigueur que d'émotion. Je vous pardonne votre implacable précision et votre obsession des dates !

Merci enfin à mon amie Nicole Lattès et à toute son équipe des Éditions Robert Laffont, en particulier Arié Sberro, Catherine Bourgey, Sylvie Bardeau, Juliette Duchemin, Brigitte Forissier et Joël Renaudat.

Table

CRÉDITS PHOTOGRAPHIQUES

Cahier 1

Page 1 : haut : © F. Nadeau ; bas : © V. Clavières
Page 2 : haut et milieu : collection particulière ; bas : J.-C. Sauer/*Paris Match*/Scoop
Page 3 : haut : © M. Jeanneau ; milieu et bas : collection particulière
Page 4 et 5 : collection particulière
Page 6 : haut à droite : © J. Ricard ; haut à gauche et bas : collection particulière
Page 7 : haut à gauche : © V. Clavières ; haut à droite et bas : collection particulière
Page 8 : collection particulière

Cahier 2

Page 1 : haut : © INA/R. Picard ; milieu : collection particulière ; bas : © Fievez/Sipa Press
Page 2 : haut : © C. Lartige/Sipa Press ; milieu et bas : collection particulière
Page 3 : collection particulière
Page 4 : collection particulière
Page 5 : haut : collection particulière ; bas à gauche : Ginies/Sipa Press ; bas à droite : G. Gaffiot/Visual Press Agency
Page 6 : collection particulière
Page 7 : haut : collection particulière ; milieu : © D. Angeli/Angeli ; bas : collection particulière
Page 8 : collection particulière
Page 9 : bas : collection particulière ; milieu : © Descamps/*Paris Match*/Scoop ; bas : J.-J.Datchary/ABACAPress
Page 10 : haut et bas : collection particulière ; bas : © *Libération*
Page 11 : haut et bas : © J.-J. Datchary/ABACA ; milieu : © A. Marouani
Page 12 : haut : © G. Schachmes ; bas : © A. Benainous/Gamma
Page 13 : haut à gauche : © S. Frederic/Villard/Sipa Press ; haut à gauche et milieu : collection particulière ; bas : © G. Gaffiot/Visual Press Agency
Page 14 : haut : © L. Jacquinot ; bas : collection particulière
Page 15 : haut : collection particulière ; bas à gauche et à droite : © G. Gaffiot/Visual Press Agency
Page 16 : collection particulière

Cet ouvrage a été composé et imprimé
en octobre 2010 par

N° d'édition : 50986/01
N° d'impression : 101870
Dépôt légal : octobre 2010

Imprimé en France